Le Cheval
d’août

Chercher Sam

Sophie Bienvenu

Roman

Préface

Je me souviens de la première fois que Sophie Bienvenu m'a parlé de *Chercher Sam*. Nous nous trouvions dans un petit avion brinquebalant, en direction du Salon du livre de La Sarre, en Abitibi-Témiscamingue. La lolita amorale de son premier roman, *Et au pire, on se mariera*, et son style éblouissant m'avaient tellement plu que je craignais de ne pas aimer autant ses livres qui allaient suivre. Il était tôt, on grignotait des arachides japonaises. On a jasé musique, pesté contre le bourdonnement assourdissant du coucou, j'ai montré à Sophie un montage vidéo un peu débile de Céline Dion dansant sur *Get Lucky* de Daft Punk et, de fil en aiguille, elle s'est mise à me parler d'un garçon qui cherche son chien. Moi, j'ai toujours préféré les chats.

À l'aéroport, aussitôt descendues de l'avion, nous sommes montées dans la minifourgonnette qui nous mènerait à la cérémonie de remise du Prix des lecteurs émergents d'Abitibi-Témiscamingue. C'était un peu cowboy comme horaire, très serré dans le temps... Alors, sans attendre, on s'est enfoncées dans les terres abitibiennes. Ciel de glace, du bleu des yeux de Nelly Arcan, et gazon jauni. On a roulé, mangé de l'asphalte. À un certain moment, un grand bruit de tôle s'est fait entendre, comme si la carrosserie avait encaissé un coup. Le véhicule s'est immobilisé. Par la fenêtre, j'ai aperçu une roue qui poursuivait seule sa trajectoire sur la chaussée, jusque dans le ravin qui longeait la route. Sophie s'est écriée : « La roue s'est désolidarisée ! » Le mot juste, haut et fier, même pour parler d'un vulgaire pneu échoué dans la boue sèche d'un fossé, quitte à en inventer un si nécessaire, comme lorsqu'elle écrit « frouillé » pour décrire la truffe humide et froide des pitbulls qu'elle adore.

L'aéroport était à quarante minutes de La Sarre et nous avions à peine parcouru le quart du chemin. Il ne restait plus qu'à attendre du renfort. Dehors, on se les gelait. On a marché jusqu'à un petit dépanneur de bord d'autoroute où nous avons acheté des bonbons et de spectaculaires chandails de loup. On a raté la cérémonie du prix où nous étions finalistes – de toute façon, c'est Simon Boulerice qui a gagné. Mais ça valait la peine d'aller à La Sarre, pour les t-shirts épiques et le vent frais qui défroisse les idées.

Sophie est retournée en Abitibi-Témiscamingue. Elle m'a confié avoir écrit son premier poème après sa visite au Refuge Pageau, un endroit qui accueille les animaux sauvages blessés, dans le but de les remettre en liberté ou de leur offrir un abri quand la réhabilitation est impossible. Dans ses romans, Sophie s'intéresse aux êtres fragilisés, elle fréquente ceux qui vivent en marge, les ensauvagés. Je l'imagine dans la neige et dans l'odeur du sapinage, aussi à l'aise parmi les loups gris, les coyotes et autres oiseaux de proie qu'avec ses chiens.

Ceux qu'on croit agressifs, ceux qui jappent fort et mordent parfois, Sophie sait les apprivoiser. D'instinct, elle devine leurs souffrances les plus intimes et la cause de leur mal. Dans *Chercher Sam,* elle a offert un abri à un jeune homme qui vivotait dans les rues du quartier Rosemont. Comme elle, il était épris des pitbulls. Mathieu, qu'il s'appelait. Dans la vraie vie, Sophie l'a aidé à payer les soins vétérinaires de son chien ; il s'est confié à elle, lui a raconté son quotidien, ses écueils et petites joies. Il n'a pas été rebaptisé, mais Sophie a changé le nom du chien dans *Chercher Sam,* un roman à vif qui m'a brisé puis recousu le cœur. Elle est de ces rarissimes écrivains qui arrivent à faire rire et pleurer le lecteur dans la même phrase. Et elle le fait dans une langue parlée qui a du panache, sans juger ceux qu'elle met en scène, en esquivant le piège du misérabilisme. Dans les romans qu'elle signe avec ce style qui la distingue, on épouse la perspective de protagonistes qui n'ont généralement pas voix au chapitre. Elle leur invente une parole qui devient littérature, leur donne ses mots taillés sur-mesure, en filiation avec les Salinger, Djian, Ducharme, Gary, ses écrivains favoris, à qui on la compare parfois. Sophie offre au lecteur l'occasion de vivre une puissante expérience d'humanité. On cherche Sam avec Mathieu, on veut qu'il retrouve sa chienne, la quête vire à l'obsession pour nous aussi, on souffre avec lui, c'est intenable ! « Un roman dur ? » me demande-t-on au sujet de *Chercher Sam.* Un roman à la fois tendre et tragique, qui ne laisse personne indifférent. Même ceux qui préfèrent les chats ou les oiseaux. « Mais est-ce réaliste ? » ont opposé certains, comme si la vérité des choses transitait nécessairement par là. Dans la vraie vie, Mathieu Gaudreault, muse vagabonde de l'écrivaine, est mort dans un accident de voiture, le 21 décembre 2014, alors qu'il allait fêter Noël avec sa famille. Il avait eu le temps de lire *Chercher Sam*, qui lui est dédié ainsi qu'« à tous ceux qui ont perdu leur chemin ». Il a laissé dans le deuil sa petite fille de six ans. Son chien Fœtus a été recueilli par une amie. La vie est parfois bien plus brutale que les mélodrames.

Ses voisins du quartier Rosemont lui ont rendu hommage cet hiver, et se sont recueillis devant son « spot », à l'angle des rues Masson et de la Cinquième Avenue. Son humour, ses traits d'esprit et la petite étincelle qu'il avait dans l'œil manquent aux passants... C'est la vie, la mort. Et c'est aussi la littérature. Les larmes qui roulent par-dessus le sourire. Un tombeau sublime que ce livre saisissant, que cette voix de papier qui résonne encore dans ma tête, des mois après que j'ai tourné la dernière page.

Un jour, Sophie dirigera le chœur des voix qu'elle aura fait naître. Les loups et les chiens des quartiers paumés hurleront à la lune en écho à ce chant. Sophie présidera alors la plus belle chorale qui soit : celle de la parole libérée.

Marie Hélène Poitras
Montréal, 16 avril 2015

À Lucie et Medhi,
à Mathieu,
et à tous ceux qui ont perdu leur chemin.

Avant, Sam et moi on se calait dans l'entrée du magasin de tissus qui a brûlé, sur Masson. On pouvait étaler nos shits sans qu'elles partent au vent, ça fait qu'on avait un peu l'impression d'être chez nous. Sam dormait dans le coin, même que les gens s'arrêtaient pour me demander «Y est où ton chien?» tellement on la voyait pas de la rue. C'était un bon spot, mais on a pas pu rester là trop longtemps parce qu'ils ont commencé à faire des travaux en dedans, pour mettre je sais pas quoi à la place du magasin de tissus. P'têt' un resto. Sûrement un resto.

Avant ça, on était souvent en avant du Poivre et Sel.

C'est un bon endroit, mais justement, trop. Une fois, on était même quatre à quêter: moi pis Sam, le vieux avec sa casquette, le gars avec sa guitare pis son chien-loup et un petit Noir qui vendait du chocolat pour son école. Évidemment, le kid nous clenchait tous, fait qu'on s'est tannés et on a voulu aller se prendre une pointe de pizz en mettant tout notre cash ensemble. Le vieux a essayé de nous crosser, l'autre gars s'est énervé après, le gérant de la place nous a chassés en menaçant d'appeler la police. Dehors ç'a dégénéré. Ils se sont mis à se taper dessus en se traitant d'osties de voleurs. Le chien-loup essayait de pogner les mollets du vieux, mais comme il était attaché, il se rendait pas, jusqu'à ce que les deux gars se ramassent à terre, où là, il a réussi à lui mordre l'avant-bras. Le vieux s'est mis à gueuler «rappelle ton chien, rappelle ton chien!». Il essayait de fesser dedans, mais ça donnait rien. Il s'est pissé dessus et s'est tourné sur le ventre pour se cacher le visage. Le gars a crié «lâche!» et son chien a lâché. Il l'a détaché et il est parti en gueulant et en se retournant une couple de fois pour être sûr que ses insultes se rendaient bien où elles étaient supposées. Le vieux s'est assis, appuyé contre le mur. Il frottait son avant-bras en chignant comme un kid qui s'est fait péter la gueule, alors que c'était lui qui avait cherché le trouble, à la base.

Le peu de monde qu'y avait dans la rue à cette heure-là, en plein après-midi un jour de semaine, s'était attroupé autour pour être sûr de bien voir, d'un coup qu'y en ait un des deux qui tue l'autre, ou quoi. C'est pas tous les jours qu'on a la chance d'être témoin d'un meurtre.

Une fille s'est approchée du vieux et s'est agenouillée à côté: «Monsieur, ça va? Je vais prendre votre bras pour regarder ce qu'il y a, c'est correct?»

Les autres trouvaient ça dégueulasse, ça se voyait. Y en avait qui la trouvaient courageuse, y en avait qui se faisaient croire que si elle y était pas allée, ils y seraient allés, eux, mais la vérité, c'est que tous, ils trouvaient ça dégueulasse. Parce que les itinérants, tu peux leur donner de l'argent, tu peux leur faire un sourire, ou même leur demander comment ça va, mais tu peux jamais, jamais, jamais les toucher. Parce que t'as beaucoup trop peur que notre misère s'attrape.

C'était jamais assez propre, chez nous. Ma mère nettoyait tout, tout le temps. J'avais pas le droit de toucher rien parce que je faisais des traces de doigts. J'avais pas le droit de marcher nulle part parce que je faisais des traces de pieds.

– Tu vas-tu le laisser vivre?

– On voit bien que c'est pas toi qui nettoies sans arrêt.

– Tu nettoies pas, t'essayes d'effacer les traces de vie.

Là, mon père se levait, mettait son manteau et me faisait un signe de tête pour que je l'accompagne. Je courais chercher le mien.

«Non non non, toi tu restes ici avec maman!» que ma mère me disait. Et à mon père: «Tu m'enlèveras pas mon fils, certain.»

Avec le temps, j'ai fini par arrêter d'espérer qu'elle me laisse sortir avec lui. Avec le temps, p'têt' à cause de sa lâcheté, p'têt' aussi à cause de la mienne, j'ai fini par le détester.

On est pas encore en novembre, mais il commence à faire vraiment froid, surtout la nuit. Dans le parc, Sam renifle l'air d'une façon weird, pas de la même façon que quand elle repère un écureuil, ou du jus de poubelle. Comme si ça lui piquait l'intérieur du nez, comme si elle savait que ça s'en venait. Elle me regarde pour me demander si j'ai un plan, pis ben... j'en ai pas, de plan. Fait que je la pogne par le cou et je lui fais une colle. Ça la rassure pas, mais ça me réchauffe. Un peu.

Notre première nuit dehors, j'ai pleuré. Pas vraiment de tristesse. De vide. De *qu'est-ce qu'on va faire, maintenant?*

C'était au mois de décembre, mais y avait pas encore de neige. J'avais entendu dire qu'on pourrait p'têt' dormir à la Maison du Père, alors je suis allé voir, mais ils acceptent pas les chiens, là-bas. Fait que je me suis ramassé sous un porche du centre-ville, dans une ruelle qui sentait les vidanges, le vomi pis la pisse. Je me suis calé entre un vieux rack à vélos et le mur, sous l'escalier de secours. Je fixais la porte de garage en face de moi. La nuit la faisait passer du jaune au brun. Quand tout le monde dort, le laid pis le pire en profitent pour ressortir. Je voyais pas ça, avant. J'essayais de respirer correctement, comme une femme qui accouche, ou plutôt comme un gars qui court. Inspirer, expirer... pour pas étouffer. Mais ça puait trop, fait que je suis parti à brailler.

Sam léchait mes larmes et elle me donnait des coups de nez frouillés.

Froids pis mouillés.

Elle arrivait en tapant des talons sur le plancher. Ça faisait vibrer le bloc entier, même si elle était toute légère. Le chien la suivait de tellement près qu'en regardant vite vite, on aurait cru un genre de centaure ou d'animal weird avec un cul de chien et un devant d'humain.

— Sam arrête pas de me donner des coups de nez frouillés pour que je m'occupe d'elle!

— C'est quoi ça, «frouillé»?

— Ben là! (Elle me regardait comme si j'étais le dernier des épais.) Froid pis mouillé: frouillé!

— Ben ouais, je suis donc ben niaiseux.

Elle s'approchait pour me caresser le bras, genre mais non mais non (mais un peu quand même), et elle posait sa tête sur mon épaule en soupirant.

«Tu fais quoi?»

Notre première nuit dehors, le centre-ville était si désert qu'on aurait dit que mon braillage résonnait dans tout Montréal, qu'il rebondissait d'immeuble en immeuble, de porte barrée en fenêtre fermée... p'têt' jusqu'à elle.

Sam m'a donné sa patte et elle m'a regardé. Dans le noir, je voyais juste ses yeux orange qui reflétaient la lumière d'un lampadaire.

J'ai mis ma tête dans son cou et je l'ai tenue comme quand j'étais flo et que je m'endormais en pleurant sans vraiment savoir la raison, en serrant mon toutou. On pourrait croire que rendu adulte j'aurais su pourquoi je pleurais, mais non. Y avait trop de choses, beaucoup trop de choses. Tellement qu'il a fallu que j'en choisisse une.

« J'ai plus de maison. »

Je sanglotais vraiment, pour la première fois depuis trop longtemps. C'était du sérieux laisser-aller. Y avait personne pour me dire de me ressaisir et qu'y avait pire que moi. Y avait personne pour me dire qu'il était là, alors que je filais tellement seul que j'étais rendu vide et sec en dedans. J'ai répété *pourquoi moi ?* dans ma tête tant de fois que je crois que j'ai fini par le demander tout haut.

T'es en train de rater ta vie. Tu pourras pas dire que je t'aurai pas prévenu.

Fuck you, mom. C'est toi qui m'as raté.

J'ai reniflé un bon coup. Trop. J'ai failli vomir.

Sam s'est couchée à côté de moi. La lumière s'est éteinte. C'est ça notre vie, maintenant. Arrête de brailler pis dors. Je suis là, ça va ben aller.

Normalement, ma mère était toujours à la maison quand j'y étais. Pas parce qu'elle avait quelque chose à faire, juste pour être là. Je sais pas ce qui s'est passé avec elle, avec moi ou avec nous. Un jour, je regardais la télé la tête posée sur ses cuisses, pis le lendemain, elle était devenue comme le bruit du frigo : tu te rends compte à quel point il te gossait juste quand il arrête. Et quand le bourdonnement repart, ça finit par te rendre fou. P'têt' que c'était dû aux fausses-couches qu'elle avait faites après ma naissance. Mon père disait que c'était ça, en tout cas. Il fallait être gentil avec elle, et patient, parce qu'elle avait beaucoup de peine. Mais ma peine à moi, due au fait que tout le monde se crissait de ma peine, justement, tout le monde s'en crissait. Pis ça me faisait de la peine, et c'était comme l'histoire de la poule ou de l'œuf.

J'ai plus jamais le temps de penser. C'est une crisse de bonne chose.

Faut pas croire, on dort pas tous les jours dans la rue. Y a des squats, y a les apparts de quelqu'un qui connaît quelqu'un qui connaît quelqu'un, y a une buanderie coin Dandurand et Troisième, ouverte vingt-quatre sur vingt-quatre, y a le renfoncement à gauche de l'église Saint-Esprit... mais bon, je crois qu'on peut considérer ça comme «dans la rue», même si techniquement y a un toit. C'est sûr que c'est plus facile de dormir chez quelqu'un, mais ça dure jamais longtemps. Anyway, on aime pas ben ça, Sam pis moi, être trop confortables à une place. Enfin, surtout moi. Je crois qu'elle, elle s'ennuie du couch pis de la bouffe à heures fixes.

Parfois, les bons jours, j'ai l'impression d'être un aventurier. T'as pas le choix de voir ça de même quand faut réfléchir à un plan rien que pour aller chier. Mais y en a pas beaucoup, des bons jours. La plupart du temps, j'arrive pas à me mentir. Je sais que devoir survivre au-dehors, c'est ce qui me fait survivre en dedans.

La nuit commence à tomber, et le monde qui fume se met à parler fort autour du Quai n°4. C'est le temps où j'aimerais boire encore, pour rire de rien, filer comme si je flottais et qu'y a rien de grave. Il est l'heure qu'on cherche un endroit où dormir. J'ai p'têt' un plan. Si ça marche pas, on ira faire notre lit en arrière d'un buisson du parc Pélican. Je commence à ramasser mes affaires, mais Sam a les yeux dans le vague.

« Tu penses-tu à elle, des fois ? »

À quoi ça réfléchit, un chien ? C'est-tu triste pour des affaires passées ? Ça pense-tu à des choses que ç'a pas faites comme faut ? Ça regrette-tu ?

Mais en même temps, un chien, ça se trompe pas de chemin.

J'ai toujours eu l'impression d'étouffer, depuis aussi longtemps que je me souvienne. Étouffer, c'est p'têt' pas le bon mot. Tsé les affiches dans le métro pour la maladie, là... « Je me noie de l'intérieur » ? Ben moi c'était pareil, sauf que c'était dans ma tête que je manquais d'air. Quand t'es petit, tu sais pas que c'est pas supposé d'être ça, la vie. Tu crois que c'est normal. Tu penses que tout le monde est de même, que tous les autres kids de ta classe entendent un son sourd, en permanence, que tous les êtres humains trouvent l'air fucking lourd.

Mais j'ai fini par me rendre compte que c'était juste moi.

Après, j'en ai appris plus sur la gravité. Pas beaucoup plus, parce que j'aimais pas trop savoir trop de choses, mais disons que j'ai *entendu parler* de la gravité. J'ai commencé à me dire qu'elle pesait p'têt' plus sur moi que sur les autres.

Lonely.

Y a pas de mot pour dire ça en français. Une solitude pesante et triste qui te donne pas envie de mourir (du moins pas les bons jours), mais juste de ne pas être là, comme Freddie Mercury.

I don't want to die, I sometimes wish I'd never been born at all.

Comme tous les ados, je dessinais sur mes agendas toutes les phrases qui me parlaient plus ou moins. Celle-là, je l'avais écrite en gros sur la couverture, avec l'intérieur des lettres peint au correcteur blanc. Je m'étais appliqué et j'avais bien nettoyé les dépassages avec la pointe de mon exacto. C'était fucking beau, ça me serrait la gorge à chaque fois que je le regardais. Au dos de l'agenda, j'avais écrit *«Despite all my rage, I am still just a rat in a cage»* en dessous d'un A, pour Anarchie. La phrase venait d'une toune des Smashing Pumpkins, que mon père écoutait en boucle quand j'avais six ou sept ans. Elle résonnait en moi à ce moment-là comme elle résonnait certainement avec lui dans le temps.

Fait que ce matin-là, j'étais en train de manger mes céréales avant de partir à l'école. C'était l'hiver, parce qu'y avait une lumière d'allumée dans la cuisine.

J'étais tout seul, et ça me rendait relativement heureux, mais ç'a pas duré longtemps.

Ma mère est remontée du sous-sol, en robe de chambre, la face livide comme quand elle avait une migraine et qu'elle venait se coucher dans le salon, histoire qu'on soit bien au courant qu'elle souffrait. J'ai soupiré et j'ai remis le nez dans mon bol.

Elle s'est approchée et a déposé mon agenda sur la table, d'un geste contenu, mais quand même full-blown dramatique. Il était sept heures et demie, j'avais déjà un joint dans le corps, mais je me suis mis à penser vite. «Bon, elle a allumé que je vais pas à tous mes cours.»

Je me suis demandé si j'avais pas oublié d'arracher la page où Grenier m'avait laissé une note pour savoir si j'avais de quoi à vendre. Si c'était juste ça, je pourrais faire croire à ma mère qu'il voulait que je lui revende un des vinyles que j'avais en double. P'têt' qu'elle avait lu le mot d'amour que Karine m'avait écrit à la page du jour où on avait fourré la première fois, pis qu'elle était fru.

« Tu te sens comme un rat dans une cage? » qu'elle a dit, avec trop de sanglots dans la voix pour que ce soit crédible.

— Je t'ai dit d'arrêter de fouiller dans mes affaires.

— Tu voudrais ne jamais être né? Tu te rends compte du mal que ça me fait, de lire ça, Mathieu?

— C'est juste des tounes, m'man. Capote pas.

— Je veux plus que t'écoutes ces chansons-là. Ça te met des drôles d'idées dans la tête. C'est Karine, je suis sûre, qui te fait écouter ça.

Les yeux dans mes céréales pour pas la tuer, j'ai répondu doucement: « Tu dis n'importe quoi. »

Elle s'est assise sur une chaise à côté de moi et elle s'est mise à pleurer en disant qu'elle lui avait volé son fils. Karine, donc. Qu'elle voulait qu'on revienne comme c'était avant, quand elle avait arrêté de travailler pour s'occuper de mon père et de moi, de la maison, du jardin, de ses aquarelles, de ses associations et d'un autre millier d'affaires. Elle m'amenait partout avec elle quand j'avais pas d'école, je la regardais faire des tartes pour ses levées de fonds et je lui massais les pieds parce qu'elle était fatiguée de se donner autant pour les autres sans jamais rien espérer en retour. À part d'être sanctifiée de son vivant, mettons. «Pourquoi c'est plus comme avant, Mathieu? Tu m'aimes plus?»

Je me suis levé, je me suis approché d'elle et j'ai mis ma main sur son épaule.

— Mais oui je t'aime, maman. T'as rien fait... je suis juste... triste.

— Pourquoi t'es triste?

— Parce que... je sais pas...

J'espérais un peu qu'elle me demande de lui raconter. À l'époque, je le savais pas, que j'espérais, mais aujourd'hui, oui. Je voulais lui dire, je voulais pleurer, me vider de mes larmes et pouvoir repartir à zéro. Je voulais qu'elle me prenne dans ses bras et qu'elle me dise que tout allait bien aller. Elle s'est raidie sous ma main.

«Est-ce que tu m'entends dire que je suis triste, moi? Non. Je le dis pas. Pourtant, j'en ai, des raisons d'être malheureuse, moi. Mais moi, je suis forte.»

J'ai regardé ailleurs.

— Je vais être en retard à l'école, m'man.

— T'as pas le droit d'être triste, Mathieu. T'as un toit, tu vas à l'école... t'as une mère qui t'aime et qui se sue aux quatre veines pour te donner ce que tu veux... Tu sais ce que t'es? T'es rien qu'un bébé gâté, un ingrat. Comme ton père.

Elle a inspiré, elle s'est levée et elle s'est mise à débarrasser la table pendant que je restais planté comme un cave au milieu de la cuisine.

En ouvrant le frigo, sans me regarder, elle a juste dit: «Allez vas-y, tu vas être en retard...»

J'ai fait le tour de l'îlot pour lui faire un bec sur la joue et elle a faké de s'en crisser.

Il était sept heures quarante, j'avais déjà un joint dans le corps, et je m'en suis roulé un autre pour arrêter de penser.

À soir, Sam et moi, on est supposés dormir chez un gars qui prête son appart à sa cousine pendant qu'il est parti dans l'Ouest. Il m'a dit que ça la dérangerait pas qu'on passe la nuit là parce qu'elle est pas du genre à être dérangée par grand-chose.

Le gars s'appelle Max. Il jouait de la guitare au métro Joliette quand on s'est croisés, y a quelques jours, un peu avant qu'il parte. En plein milieu d'une toune, il s'est arrêté pis il a crié: «Eille Sam!» Sam avait l'air super contente de le voir. Moi, moyen, parce que j'étais pas capable de le remettre. J'ai zéro la mémoire des faces. On a jasé un peu, je le remettais toujours pas.

— Tu restes-tu encore dans le coin de Saint-Denis? qu'il a dit.

J'ai fait comme si de rien n'était, même s'il venait de me déchirer en dedans.

— Non, je suis entre deux places, en ce moment. Mais je me tiens surtout dans le coin de Masson, un peu plus haut.

C'est là qu'il m'a dit pour son appart, pour l'Ouest et pour sa cousine ben ben cool.

— Je la dépanne parce que son ex s'est poussé après lui avoir sucé tout son cash, l'ostie de sale.

— Bad.

— Ouin. Fait qu'anyway. Dis-lui que t'es mon chum.

Sam se faisait tellement aller le cul pendant qu'il la flattait qu'elle s'envoyait des coups de queue dans le museau. Ç'avait l'air d'un bon plan, alors j'ai répondu OK même si ça me gossait de plus me rappeler comment on se connaissait. C'est pas poli.

C'est le temps où la nuit tombe vite et fort, et ça va juste être de pire en pire.

Je suis sorti sur le balcon qui donne sur la ruelle parce que j'avais besoin de prendre l'air. Sam a mis le nez à l'extérieur, pis elle est rentrée aussi sec. Elle est pas niaiseuse, elle. C'est pas son genre d'avoir frette si elle est pas obligée. Je l'ai traitée de pissoune en riant, elle s'en est crissée. J'ai refermé la porte pour pas que le froid rentre.

Dehors, c'est calme. Y a pas de monde, y a pas de char, y a même pas de chat. L'air piquant me donne l'impression d'avoir des paper cuts partout sur le corps.

J'ai le réflexe de me dire qu'il faudrait que je lui achète un nouveau manteau d'hiver. C'est le genre de pensées qui te prennent par surprise, qui te chient dans la tête et te détruisent, surtout quand tu passes ta nuit au chaud et que t'as pas faim. Y a des moments où tout te rappelle ce que t'as perdu.

Faut que je m'assoie.

Faut que ça s'arrête.

Je pense trop.

C'est comme une tache d'encre de Chine sur un papier mouillé, dans ma tête. Ça se répand partout, dans tous les sens, et ça me rend fou. La plupart du temps, j'arrive à endormir le mal, mais ce soir ça déborde encore. Ça te pogne par surprise et ça te crushe et ça te serre, pis tu penses que tu seras plus jamais capable de te relever ni de bouger.

Le balcon est pas assez haut pour que je me tue en tombant.

...

Ma respiration fait de la fumée.

...

Faudrait que j'accède au toit.

Je me lève et je regarde autour. Y a une corde à déménagement dans un coin, coincée entre le bac de recyclage plein pis cinq six cartons bien cordés.

Faudrait que je l'accroche quelque part. Je sais pas après quoi. Ça me prendrait une lampe de poche.

Je reçois un coup de porte dans le dos, Sam vient s'asseoir à côté de moi. Elle me regarde pas, elle regarde au loin, rien de particulier. Elle se dit p'têt' qu'il y a pas de chat, pas de gens, pas de char. Elle me trouve p'têt' cave, mais elle ose pas croiser mes yeux parce que ça paraîtrait.

On reste là un moment. Sam aime pas avoir frette si elle est pas obligée, mais quand il faut, elle pourrait rester dehors jusqu'à geler. Elle se plaint pas, elle grouille pas. Elle est juste là, et je peux prendre tout le temps dont j'ai besoin.

« Sans toi, je serais mort cent fois », je lui dis.

Elle me regarde toujours pas. Y a juste sa queue qui bouge tout doucement.

Je lui ouvre la porte pour qu'elle rentre et je la referme derrière elle.

Un dernier coup d'œil à la ruelle, à la lune, au ciel pas d'étoiles, à une poutre au plafond.

« Anyway, je suis mort déjà. »

Karine, ç'a été la blonde de mon meilleur chum Dave pendant presque tout l'été de notre secondaire quatre. Fait qu'on était souvent ensemble tous les trois. Des fois, elle me touchait, et je savais pas si c'était exprès. Ça me rendait fou. Des fois, elle me regardait, et je savais pas si elle pensait ce que je pensais qu'elle pensait. Je rêvais d'elle tout le temps, même quand je dormais pas. C'était pas juste la plus belle fille de l'école, c'était la plus vraie. La seule au monde. Elle avait des longs cheveux, lisses et noirs comme ceux d'une Chinoise et elle était tout le temps en robe, même quand il faisait frette. Elle avait une petite voix douce. Chacun de ses mots et chacun de ses gestes étaient comme des caresses. Du moins, moi je les filais comme ça.

Un soir elle a sonné chez moi, c'était pas prévu. Elle a pas dit bonsoir à ma mère, qui écoutait la télé dans le salon. «J'ai pas fini d'en entendre parler», je me suis dit. Dave allait nous rejoindre plus tard, pour voir un film dans mon sous-sol.

J'ai dit OK.

On s'est assis sur le sofa, au sous-sol. Elle me regardait weird. Je lui ai demandé si elle voulait fumer, pour cacher mon malaise. J'ai essayé de rouler, mais mes mains shakaient trop. Je lui ai dit que c'était parce que j'avais bu trop de Coke, pis je me suis trouvé cave. J'ai rougi, et elle a continué de me fixer. Elle a dit «laisse, je vais le faire» et elle m'a pris le joint-to-be des mains. Quand elle a léché doucement le papier en me lâchant pas des yeux, j'ai failli venir dans mes culottes. Ç'a dû paraître, parce qu'elle a souri pis elle m'a demandé si je voulais fumer avant ou après. «Après quoi, après le film?»

Tout, ensuite, s'est passé au ralenti. Elle a défait ma ceinture et elle m'a sucé. J'avais seize ans, et c'était la première fois qu'une fille interagissait avec ma queue. J'ai pensé pendant une fraction de seconde «Et Dave?» mais fuck Dave! J'étais devenu un homme.

Elle a craché mon sperme dans une bouteille vide, et j'ai trouvé ça atrocement sexy. Elle a allumé le joint et elle me l'a tendu. J'avais les bras trop lourds pour faire quoi que ce soit, alors j'ai tendu les lèvres pour qu'elle me fasse fumer. J'ai tiré deux trois poffes, et je lui ai dit je t'aime. Elle a souri.

«Je sais.»

J'ai eu l'impression de tomber dans le vide. Et la chute a duré trois ans.

C'est devenu weird, dormir dans un lit, alors même quand c'est possible, on préfère dormir par terre, sur notre tapis en mousse. Sam se met en boule contre mon ventre, mais si je la serre trop en dormant, elle va se coucher un peu plus loin. Quand je me réveille et qu'elle est plus dans mes bras, j'ai le vertige, un peu. Si j'arrive à la toucher en tendant la main, je peux me rendormir. Sinon, je gueule: «Sam, câlisse, j'ai frette!» et elle revient en râlant, mais pas trop, parce qu'elle sait que c'est pas le froid du dehors, le problème, mais celui d'en dedans.

Sam soupire. C'est-tu parce que je la gosse ou parce qu'elle est bien? Je choisis ce qui me tente en fonction de mon humeur. Y a des fois où le ciel est rose, quand il est encore trop tôt pour que les bruits de la vie aient commencé. J'ai trouvé une position confortable sur le sol, pas trop dur et pas trop froid. Y a personne dans la rue. Y a p'têt' juste deux trois chats qui fouillent dans les poubelles ou qui se baladent à la recherche d'un oiseau ou d'une souris à torturer. Je sors une épaule de mon sleep juste pour être content de la remettre au chaud à l'intérieur. La joie dure une seconde. Ces matins-là, on est presque bien, et j'ai presque envie d'en profiter un peu. Mais j'ai trop peur que mon cerveau embarque et gâche tout, alors je ferme les yeux sur le rose et les chats, je me retourne pour bien sentir le sol sous mes os et je sors les deux bras du sac de couchage d'un coup, comme si je plongeais dans un lac gelé. N'importe quoi pour pas penser.

Sam soupire. Je me rendors.

C'est apaisant, un cœur qui bat sous ta main. Même si c'est rien qu'un cœur de chien.

On est assis tous les trois dans la cuisine. On mange du ragoût de boulettes parce que c'est lundi soir. Je suis en cinquième année et je porte mon nouveau chandail Casper que j'ai pu choisir moi-même chez Walmart. La mâchoire de ma mère craque quand elle mange, et le nez de mon père siffle quand il respire. Y a une mouche en train d'essayer de se déprendre d'une lampe allumée.

J'ai mal au ventre depuis que je suis rentré parce qu'il faut que je demande de quoi, que ma vie en dépend, et que je sais que ma mère va dire non. Je décide de me lancer pareil:

«M'man, P'pa... faut je vous demande...»

Ça fait depuis lundi que je réfléchis à la meilleure façon d'aborder le sujet, que je me fais des scénarios dans ma tête, pis là, tout a disparu d'un coup, je sais plus trop quoi dire ni comment. C'est pas grave puisque de toute façon, ma mère me coupe:

— Mathieu, je t'ai déjà dit. Je veux pas de chien ici. C'est non.

— Non mais...

— Je t'ai dit de plus revenir là-dessus. Ça met des poils partout, et j'ai déjà assez de travail avec vous deux.

Le nez de mon père siffle plus vite et plus fort. Je dis plus rien. Je fixe mon assiette. J'avais pas prévu ça. Il pose ses ustensiles de chaque côté de son assiette et il me questionne calmement :

« C'était ça que tu voulais, mon gars ? »

Je fais signe de la tête que non et je déballe ma tirade en continuant d'examiner mon reste de ragoût :

— C'est parce que tout le monde va au camp Minogami avec l'école, en juin... ç'a l'air super le fun, on fera du kayak, pis des randonnées et plein d'activités dans le bois, du tir à l'arc... du kayak... Et ça coûte même pas cher parce que la prof a réussi à avoir un rabais, alors on resterait cinq jours au lieu de trois, mais pour le même prix.

— Pis t'aimerais ça, y aller ?

Je regarde mon père et je hoche la tête tellement fort que j'ai l'impression que mon cerveau se décroche. Il a pas le temps d'ouvrir la bouche pour dire oui que ma mère le coupe :

— Mais non il aimerait pas ça. Qu'est-ce que tu veux qu'il aille faire dans un camp de vacances pendant cinq jours ? C'est dangereux, la forêt. Regarde ce qu'il s'est passé l'an passé en Abitibi, l'incendie. As-tu fini de lui mettre des idées de même dans la tête ?

— Ben là ! Il vient de dire qu'il veut y aller.

Mon jus de boulette a fait un dessin dans l'assiette. Ça ressemble au *Dormeur du val,* le gars de la poésie qu'on a apprise en classe, même qu'y a des parents qui étaient pas contents parce que c'était trop violent et ils se sont plaints de la prof parce qu'elle était française et que ça se passait pas comme ça, ici.

«C'est vrai que tu veux y aller?»

Dans la bouche de ma mère, ça sonne comme: «C'est vrai que tu préfères aller éventrer des chatons plutôt que de rester ici avec ta mère qui sacrifie sa vie pour toi?»

Je hausse les épaules, et je récite dans ma tête.

Un soldat jeune, bouche ouverte, tête nue

«Tu peux me le dire, si tu veux y aller, Mathieu. Je vais pas être fâchée, tu sais. Je vais être triste, mais je vais pas être fâchée. Moi, en juin, j'avais besoin de toi pour préparer mon exposition d'aquarelles au Café des Arts, mais si t'aimes mieux aller jouer dans le bois, vas-y.»

Et la nuque baignant dans le frais cresson bleu

Mon père soupire et jette un morceau de pain au milieu de la table. Il me regarde. Longtemps.

Dort; il est étendu dans l'herbe, sous la nue,
Pâle dans son lit vert où la lumière pleut.

Je sais pas ce qu'il attend. P'têt' que j'aie plus de courage que lui. P'têt' qu'il espère que je devienne un homme différent, qui prend ses propres décisions, qui dit fuck you quand de quoi le gosse, qui reste pas s'il a plus envie de rester, qui accepte pas l'inacceptable au nom d'un confort artificiel, et surtout, qui va au camp de vacances quand ça lui tente. Ma mère a recommencé à manger en faisant semblant de rien. Je voudrais hurler mais ça me ferait perdre le fil de ma poésie. Je sais pas quoi faire avec mes mains, alors je me mets à grappiller des petits morceaux de viande avec les doigts pour les porter à ma bouche, comme si je me faisais nourrir par une maman oiseau invisible.

«Mets pas tes doigts dans ton assiette, c'est pas propre.»

Ma mère recommence à manger. L'horloge fait tic-tac. Le frigo embarque.

Nature, berce-le chaudement: il a froid.

Mon père finit par insister:

«Tu veux y aller, au camp, gars?»

La pièce se remplit d'électricité. Même avec le bourdonnement du frigo, la mouche dans la lampe, le tic-tac et la respiration de mon père qui siffle aussi fort qu'un avion, j'entends la mâchoire de ma mère qui fait cloc. Cloc. Cloc.

La mouche réussit à se libérer de la lampe pour aller se coller après le papier tue-mouches pendu au-dessus du comptoir. Pour sortir de là, faudrait qu'elle s'arrache les pattes. Elle pourra pas sortir. Elle va mourir là.

«Non je veux pas y aller, au camp.»

Ma mère sourit et dépose sa main sur mon avant-bras. Elle me dit qu'on va s'amuser, tous les deux. Je vais voir.

Mon père reste silencieux. Il se lève, me flatte l'arrière de la tête, prend son manteau, son portefeuille et il sort de la maison. Je l'entendrai pas rentrer.

Je joue toujours avec mon reste de viande, machinalement.

«Enlève tes mains de là, je t'ai dit que c'était pas propre.» Ma mère va chercher une débarbouillette mouillée et m'essuie les mains avec. Pis la face. J'essaye de me dégager mollement, parce que je sais que ça donnera rien. Ça me ferait juste mal aux pattes.

«Tu vas voir, mon chéri. On va être bien, juste tous les deux. Toi pis moi.»

... *Il a deux trous rouges au côté droit.*

Il a commencé à neigeoter ce matin, et Sam et moi, pour fin octobre, on trouve ça tôt. Je sais pas si on va pouvoir endurer encore un hiver. On voudrait se pousser dans le Sud parce que, comme dit la toune, c'est moins plate être malheureux au soleil. Mais bon, à mon avis, Aznavour, la misère, il sait pas trop c'est quoi, anyway.

J'ai stationné Sam après le banc en avant du Couche-Tard pendant que j'allais acheter des smokes et du beef jerky à rien, pour pouvoir partager avec elle sans que ça lui chauffe la gueule. Comme je suis tout le temps dans le coin de Masson, je connais bien Guy, le gars du dep. Y a quelques mois, on s'est rendu compte qu'il reste juste à côté du bloc où mon père a grandi, sur la Sixième Avenue. Le bloc appartenait à mes grands-parents avant qu'ils le vendent pour partir en foyer et mourir. On est voisins à deux générations près. C'est weird.

Guy, il aime ben ça, l'hiver, ça le gosse pas que ça s'en vienne. Mais il aime tout, faut dire. J'envie pas mal son état d'imbécile heureux. Parfois quand je parle avec lui, je ressors même avec un sourire:

« T'es vraiment chanceux d'avoir un chien. Moi, mon proprio veut pas. Tsé quand tu rentres chez vous... pis qu'il se fait aller la queue, là... ben c'est sûr, toi t'as pas de chez vous, là...»

Il est fin pareil.

Fait que là, on jase de sa Crazy Carpet et du fait qu'il trouve pas ça grave, le monde qui le juge parce que c'est plus de son âge. Lui, il a gardé un cœur d'enfant, pis c'est ça qui compte. Fuck them. Je lui fais le signe du devil et il sourit comme un kid à qui t'as dit que c'est correct de regarder la télé jusqu'à l'heure qu'il veut.

— Hey, c'est ma pause, là. Je peux-tu sortir avec toi pour flatter Sam, deux minutes?

— Pas de trouble.

J'ouvre la porte et je sors avant lui. Je me dirige vers le banc où j'avais attaché Sam et je me prends un coup en pleine poitrine. La nausée arrive drette après ça: elle est plus là. Guy me parle, mais j'entends juste un bourdonnement. Elle est pas à droite, elle est pas à gauche, elle est pas de l'autre bord de la rue à gosser l'autre chien parké en avant du Première Moisson, Sam est pas nulle part. Tout autour, l'air devient épais, presque solide. Je suis sous l'eau. C'est sourd et ça bouge moins vite. P'têt' que je crie «Sam», je suis pas sûr. Le gars du dep crie lui avec, mais dans une dimension différente de la mienne, où je suis tout seul, avec rien d'autre que l'absence de mon chien. Je sais pas par quel bord partir, je vois pas assez loin, je crie pas assez fort. Ça va pas bien aller. Je me mets à hurler. Y a du monde qui ralentissent pour me regarder, et Guy leur demande s'ils ont pas vu un gros chien gris qui était juste là. Y a du monde qui changent de trottoir. Y a des voitures qui ralentissent. Ça arrive pas pour vrai, ça se peut juste pas. T'es où, Sam, crisse? Qui c'est qui me joue un tour? C'est fucking pas drôle, je veux que ça arrête.

Je me retrouve debout sur le banc en avant du Couche-Tard, mais je vois toujours pas assez loin. J'aurai une meilleure vue en montant sur le dossier. C'est mouillé, je pogne une débarque et je me pète la tête sur je sais pas quoi. Y a quelqu'un qui essaye de me relever, mais j'ai pas besoin. J'ai besoin qu'il trouve mon chien, qu'il me le rende. J'ai du sang dans l'œil. Le quelqu'un c'est une fille, elle me dit qu'il faut que je m'asseye. Je veux pas m'asseoir, je veux trouver mon chien. J'ai la tête qui tourne, je perds l'équilibre. Elle insiste.

— Reste assis. C'est quoi ton nom?

— Faut je trouve mon chien.

Je me relève et je gueule le plus fort que j'ai jamais gueulé. Ça me coule dans la face, je sais pas si c'est des larmes, de la morve ou du sang. Je suis rendu au milieu de la rue, entre les deux voies, pour voir plus loin. Je fais peur au monde, mais je m'en sacre. Dès que j'aurai retrouvé Sam, je vais redevenir invisible, promis. En attendant, je bloque la 47.

Y a des lumières de char de police qui clignotent pas loin. Ils sont arrivés vite, mais ils approchent lentement. J'entends Guy leur expliquer que j'ai perdu mon chien. La fille leur précise que je me suis ouvert la tête en tombant. Tout près d'eux, y a une autre femme qui s'est arrêtée, une vieille qui me fait tout le temps des sourires quand elle passe et qui m'a offert une épicerie une fois. «C'est un bon petit gars, on le connaît. Faites-lui pas mal», qu'elle dit aux policiers.

Un des deux agents s'approche de moi. Je comprends pas ce qu'il veut parce qu'il me parle pendant que je crie. Il me demande de me calmer. Ça ferait du sens. Je le regarde, et soudainement c'est comme si la 47 était tannée d'attendre et qu'elle avait décidé de me rouler dessus après avoir pris son élan.

— Faut que t'ailles faire recoudre ça, mais d'abord faut que tu te tasses du milieu de la rue, OK?

— J'ai perdu mon chien.

Je tombe à genoux et je vomis en essayant d'éviter les bottes du policier. Il me relève, il m'aide à retourner sur le trottoir et à m'asseoir sur le banc. Guy est encore en train de demander au monde s'ils auraient pas vu Sam. Le policier essaie de me rassurer:

— T'inquiète pas, on va le retrouver.

— C't'une fille.

— On va la retrouver. On va chercher.

J'arrive pas à formuler la question «chercher où?» parce que j'ai aucune idée de la réponse. Y en a mille, des réponses, autant dire zéro. J'ai la tête qui tourne, une chance que j'ai plus rien à vomir. Pendant que l'agent est allé parler avec son chum, la gentille vieille s'assoit à côté de moi, sur le banc. Elle me raconte qu'elle a perdu trois chats et qu'elle a fait enquête elle-même parce que les autorités voulaient rien savoir. Elle est sûre que c'est un gars sur la Deuxième Avenue qui les tue pour le fun, fait que maintenant, elle en a deux nouveaux, mais elle les laisse plus sortir. Ça la rend triste parce que c'est contre nature, des chats qui sortent pas, mais si ça prend ça pour qu'ils se fassent pas dépecer par un malade, c'est ça que ça prend. Je sais pas comment elle peut conclure son anecdote par: «Fait qu'on va le retrouver, ton chien.»

— C't'une fille.

— Raison de plus. Elle va revenir, t'inquiète pas.

Je suis revenu à la maison après avoir accompagné Karine à l'autobus. Elle s'en allait rejoindre sa chum à Halifax. Elle était tannée d'ici, elle était tannée de sa vie.

«J'en voulais pas, de tout ça», qu'elle m'a dit, comme pour s'excuser.

Je le savais, qu'elle était désolée, elle avait pas besoin d'expliquer. Je savais qu'elle pouvait pas dealer avec la vie qui s'en venait. Qu'elle voulait autre chose, qu'elle était pas faite pour ça. Elle était déjà partie avant même de monter dans le bus.

— T'es sûr que tu peux pas venir?

— Tu sais bien que non.

— Tu l'aimes plus que moi?

Je lui ai tendu son sac, je l'ai regardée un moment sans lui répondre. Elle a baissé les yeux, et je suis parti avant qu'elle les lève à nouveau. Je me suis pas retourné, mais je sais qu'elle m'a suivi du regard jusqu'à ce que je tourne le coin de la rue.

J'ai marché de l'autobus à chez nous. Ma mâchoire me faisait mal tellement je la serrais pour pas brailler. Cent fois j'ai eu le goût de revirer de bord, de faire du pouce jusqu'à Montréal pour la rejoindre et partir avec elle, juste dire fuck it pis recommencer de quoi de nouveau ailleurs, moi itou. Je l'ai pas fait parce que toute ma vie m'attendait à la maison.

« Si je te donne des pilules pour la douleur, tu vas les prendre? »

Je hausse les épaules.

— Pas d'une shot, je veux dire. C'est une aux huit heures pendant trois jours, et après au besoin. Es-tu correct avec ça?

— C'est beau, j'en ai pas besoin. Merci là.

Je perds l'équilibre en sortant de l'ambulance. Les ambulanciers me demandent pour une vingtième fois si je suis sûr que ça va. Je leur réponds pas. Je me mets à marcher vers l'ouest, parce que par là, c'est notre parc. P'têt' que Sam avait le goût d'aller chasser des écureuils avant l'hiver. C'est p'têt' là qu'elle est. Je crie son nom de temps en temps, de moins en moins fort jusqu'à ce que je chuchote presque.

Sam est pas dans le parc. Elle est pas non plus allée gosser les autres chiens à travers la grille de l'enclos à chiens. Personne qui l'a vue là non plus. Personne qui veut m'aider. Je dois pas être beau à voir, mais pareil. Ils ont des expressions que tu devrais pas avoir quand tu regardes quelqu'un. Du dégoût, du mépris, de la pitié... p'têt' un peu de peur... Je vais pas te sauter dans face, man. Je veux juste que tu me dises si t'as vu mon chien. Crisse.

Y a pas un écureuil qui sait où elle est non plus, ils sont tous après faire leurs affaires. Eux autres, ils ont peur de moi pour des vraies raisons, ça me dérange pas qu'ils se tiennent loin: *Je te reconnais, c'est toi le gars qui se tient avec le gros chien gris qui nous jappe après.* Ça, c'est un ostie de bon argument pour m'haïr la face.

P'têt' je suis rendu fou.

P'têt' que ma tête a frappé trop fort sur le bord du banc. P'têt' que Sam s'est poussée avec ce qu'il me restait de santé mentale.

Je repars vers Masson, vers le bord de l'église, sur la Sixième, le spot où on dort tout le temps. Elle avait p'têt' froid, elle était p'têt' tannée. Elle s'est dit que j'allais la rejoindre là, elle aurait aimé laisser un mot, mais les chiens font pas ça. Normalement, ils prennent pas tant que ça d'initiatives, alors ils ont jamais appris à prévenir.

Elle est pas là non plus. J'arrête le monde sur la rue pour leur demander s'ils auraient pas vu un gros chien gris avec un collier rose. Rose parce que c'est une fille. Les gens s'arrêtent même pas, ils pensent que je suis Greenpeace ou que je vais leur quêter de l'argent. Je les blâme pas, y a pas cinq minutes je leur quêtais de l'argent. En avant du bar L'Aquarium, y a tout le temps des fumeurs, mais là y a personne. Je rentre en dedans. Y a quelqu'un qui en a vu un, de chien, mais un noir, pis il avait pas de foulard. Y en a un autre qui dit qu'il s'est déjà fait voler son chien par du monde qui voulait faire des combats avec.

— C'est quoi, comme chien, que t'as perdu?

— Un pitbull gris avec un collier rose.

— Ben c'est ça. Y te l'ont volé pour faire des combats avec, ton chien. Comme mon Rocco.

— Mais c't'une fille, que je lui réponds.

Le gars se met à rire pis dit qu'une chance, parce que si ç'était un gars, il ferait pas long feu dans un combat, avec son collier rose de fif.

Je sors sans dire ni merci ni bye, mais je sais pas plus quoi faire que tantôt. Le gars me rejoint dehors et me donne une adresse dans Centre-Sud, pas loin du métro Frontenac.

Par moments, Montréal, c'est crissement petit. Comme quand tu croises du monde que t'as pas envie de croiser. Du monde d'une autre vie, qui te rappelle comme t'as déjà été heureux et à quel point t'as tout perdu. Quand tu marches et que tu prends un détour pas prévu, que tu te ramasses à un endroit où t'as vécu des affaires et que ça te retourne le cœur de t'en souvenir. Quand t'entends un rire qui ressemble au sien et que t'as beau faire n'importe quoi, t'as beau aller n'importe où, t'es incapable de te le sortir de la tête, il est tatoué dans ton crâne comme dans ta peau.

La ville est petite en crisse quand les souvenirs t'agressent, mais aujourd'hui, Montréal, je la trouve infinie.

C'était à la fin, je venais d'avoir dix-sept ans. Mon père était revenu vivre à la maison parce qu'y avait plus grand-chose à faire pour lui à l'hôpital. Aussi, ma mère voulait s'en occuper. Avoir un mari qui mourrait du cancer, c'était pas assez une bonne raison pour se faire plaindre. Fallait aussi qu'elle le torche elle-même.

Je partais rejoindre Karine pis le gros Massé, j'avais mon manteau sur le dos, j'étais déjà en retard. Ou j'avais juste hâte de plus être là. Il était couché sur le divan, accroché après sa bonbonne pour respirer. La chambre de mes parents était organisée comme un vrai hôpital, ils avaient même changé le lit pour un modèle de course, mais mon père s'arrangeait pour se traîner jusque sur le sofa dès que ma mère avait le dos tourné. «Je peux-tu au moins décider où je meurs?» qu'il lui avait demandé, une fois. C'était la première fois qu'il avait réussi à lui faire fermer la gueule.

Allongé sur le divan, donc, il me regardait, mais je faisais semblant de pas m'en rendre compte parce que je voulais pas avoir à lui parler. Je savais pas quoi lui dire. Je le connaissais pas vraiment, ce monsieur qui mourait sur notre sofa.

En mettant mon paquet de smokes dans ma poche, j'ai aperçu pour la millième fois au moins l'avertissement que fumer tue. Mon père avait arrêté quand j'étais né, fait que lui, c'était pas ça qui le tuait. Lui, c'était juste la bad luck.

«Mon gars...», qu'il a soufflé du divan. Il m'a fait signe d'approcher et il a retiré son masque.

— Faut vraiment j'y aille, Pa.

— Donne-moi z'en une.

J'ai checké dans la cuisine. Ma mère était partie à la pharmacie, mais son fantôme traînait toujours à côté des chaudrons, à m'observer. C'est sûr qu'il va me stooler, j'ai pensé. Comme j'hésitais, mon père a ajouté «Inquiète-toi pas, ça va pas me faire mourir plus vite.»

J'en ai allumé une et je lui ai glissée entre les lèvres. Il avait les yeux qui brillaient. Je me suis demandé si c'était parce qu'il était heureux ou parce qu'il avait mal. Les deux ont toujours été difficiles à discerner, chez lui.

J'attendais que ce soit politiquement correct de me pousser. J'attendais que mon corps puisse aller rejoindre ma tête. Ailleurs. Ça paraissait, que ça me tentait pas d'être là. J'étais passablement trou de cul, à l'époque. Sa cigarette pognée sur le coin de la bouche, il avait l'air d'avoir cent ans.

Malgré ça, il m'a fixé un moment et ses yeux sont devenus encore plus brillants, comme quand il réparait sa vieille auto devant la maison, quand j'étais kid. Une Cadillac Deville noire «née, comme lui, en 1963». Il pouvait passer des journées entières sous le hood à se beurrer la face d'huile à moteur pendant que je l'observais d'en dedans parce que ma mère voulait pas que je me tache, pis que regarder de trop proche, c'est salissant.

«Un jour, toi aussi tu vas avoir des enfants et tu vas découvrir que ton cœur est pas mal plus grand que tu penses. Il est infini, ton cœur, mon gars. Cet amour-là, laisse jamais personne te le prendre. Y a rien qui fait plus mal.»

J'ai pas compris ce qu'il voulait dire, j'ai juste catché qu'il était triste, I guess.

«Tu veux que je te ramène de quoi?» j'ai demandé.

Il a fait non de la tête, il m'a souri et il s'est étouffé. J'ai enlevé la cigarette de sa bouche, je l'ai écrasée contre ma semelle, j'ai mis le botch dans ma poche de jeans et je lui ai tendu son masque pour respirer. Il toussait tellement qu'il avait pas de force pour le mettre lui-même, alors je l'ai aidé.

Sa toux s'est calmée. J'ai dit: «M'man va pas être contente.»

Il a haussé les épaules et il m'a fait signe de partir.

En sortant, je me suis allumé une smoke pis je l'ai trouvée dégueulasse. Dans le driveway, son vieux char prenait la rouille parce qu'il avait jamais réussi à l'arranger.

Y a des affaires qui se réparent juste pas.

Quelques heures après avoir quitté définitivement la maison, j'ai appelé Karine de la même gare d'autobus où je l'avais accompagnée quelques mois avant. Elle s'était adossée sur cette même cabine pendant qu'elle attendait en regardant ses pieds, certainement pour pus me voir. Rendue à Halifax, elle avait changé de place une couple de fois, il a fallu que je laisse plusieurs messages à plusieurs endroits à plusieurs personnes pour qu'elle finisse par me rappeler. Quand j'ai répondu, elle a même pas dit salut, elle a même pas voulu savoir comment on allait, elle a juste demandé:

— Qu'est-ce tu veux?

— Ça va, toi?

— Whatever. Qu'est-ce tu veux?

— On est partis de chez ma mère. J'aimerais ça que tu reviennes...

Y a eu un long silence au bout du fil. J'ai dit «allo?» deux fois. Elle a soupiré et m'a parlé comme à un kid:

— Mathieu... j'ai ma vie ici maintenant.

— Comment ça, t'as ta vie ici? Ça veut dire quoi, ça? C'est nous, ta vie! On a besoin de toi, nous. J'ai besoin de toi, Karine.

— ...

— Allo?

Y a un gars qui lui a dit de quoi en anglais en arrière. Elle a répondu: *« Won't be long, it's just a friend... »*

Mon corps s'est rempli de larmes, je me noyais dedans. Elle a repris froidement:

« Écoute Mathieu... j'ai rencontré quelqu'un, là. Je vais pas revenir, oublie-moi. Je voulais pas ça, moi. Je suis bien, ici. Appelle-moi plus, OK?... OK? »

J'ai raccroché et je suis resté assis à fixer le combiné pendant un bon moment. J'avais le *« just a friend »* qui bounçait un peu partout et qui me défonçait les organes. Je me serais gelé, si j'avais pu. Je serais mort, si j'avais pu.

Tout ce qu'on avait tenait sur un banc de gare, dans un sac même pas de voyage et un sac d'épicerie.

Tout ce que j'avais tenait dans encore plus petit que ça. Mon index dans sa main serrée.

Je vais avoir froid, cette nuit.

Peu importe où je serai, je vais avoir froid. Si j'ai pas retrouvé Sam d'ici la nuit, c'est sûr que je vais geler. Ça commencera pas par les orteils et les doigts, comme normalement. J'aurai pas les oreilles tellement froides qu'elles vont finir par brûler. Ça va commencer par en dedans. Ça va me pogner le ventre, pis ça va me prendre la gorge jusqu'à m'empêcher de respirer. Mais pas assez pour me tuer. Faut que je retrouve Sam pour vivre encore, pour mourir encore, lentement.

J'avais laissé mon stock chez la cousine de Max. Elle m'a dit qu'on pouvait rester là le temps qu'on trouve de quoi de plus permanent pour l'hiver. P'têt' que Sam va être là quand je vais arriver, en avant de la porte. Ça vaut le coup d'espérer. Ça vaut le coup de courir jusque-là comme si ma vie en dépendait. Anyway, p'têt' que ma vie en dépend.

Elle est pas là.

And there's nothing to follow
There's nowhere to go
She's gone like the summer
gone like the snow

Sam, t'es où, câlisse?

Tous les gars voulaient être avec Karine, et elle était avec moi. Dave m'en voulait plus trop, il s'était pogné Mélissa un peu après, pis ça allait bien. Karine venait presque tous les soirs à la maison, et on s'enfermait dans le sous-sol pour écouter les vieux vinyles de son père, qu'elle apportait selon ce qu'elle filait pour entendre. Parfois, on devait mettre la musique vraiment fort pour enterrer la désapprobation de ma mère qui traversait les murs. Aussi parce que comme ça, on pouvait faire plus de bruit en fourrant.

Ce soir-là, elle avait rapporté Leonard Cohen. On s'était roulé un batte, et elle fumait, sa tête sur mon chest, en regardant le plafond. Elle chantait tout doucement, sa voix résonnait dans ma poitrine et me faisait vibrer le cœur jusqu'au bout des doigts. Elle effleurait mon bas de ventre avec son pouce. Je bandais, mais je disais rien. Je faisais rien. J'étais juste bien.

And thank for the trouble you took from her eyes... I thought it was there for good so I never tried. Moi j'écoutais pas vraiment les paroles, mais elle s'est relevée:

– C'est un peu notre histoire, dans le fond.

– Ah ouin? Ça dit quoi?

— C'est un gars qui parle au gars qui a couché avec sa femme.

— Ouin, pis?

— Ben! J'étais avec Dave quand on a commencé à sortir ensemble, alors c'est comme si c'était lui qui te parlait, tsé.

— Hum. Pis ça dit quoi, la toune?

— Ben... c'est de la poésie, là... mais en gros il lui dit merci parce qu'au final elle est plus heureuse maintenant.

— T'es plus heureuse avec moi qu'avec Dave?

Elle a souri, pis ses yeux ont tellement étincelé que j'en ai eu le goût de brailler. Elle m'a frenché comme si la terre allait exploser drette là. J'ai posé mes mains sur ses seins, j'avais envie de lui déchirer tout son linge, mais fallait pas que ça paraisse. Je voulais pas qu'elle pense que je la respectais pas. Elle a ouvert sa chemise. Sa brassière était noire avec de la dentelle sur les bords. Ça me faisait mal dans mes pants. Elle les a déboutonnés pour me libérer et elle a approché son visage de ma queue sans la prendre dans sa bouche. Juste pour me teaser. Juste pour voir si j'allais pas finir par imploser. Ça la faisait rire. Elle a remonté sa jupe, elle a tassé sa culotte sur le côté et elle a embarqué sur moi. J'ai dit: «Attends, babe, je vais chercher un condom», mais elle m'a chuchoté à l'oreille de laisser faire. Elle voulait me sentir sans rien.

Elle est descendue doucement. Le feeling feeling était déjà vraiment différent, mais le feeling mental, lui, était à l'autre bout de la galaxie. C'était comme si elle me disait *je suis à toi entière,* mais avec des mots qu'on dit pas tellement ils signifient quelque chose. Son bassin allait et venait, je sentais la chaleur de sa respiration dans mon cou. Quand elle a dit «Mathieu...» en deux souffles, un pour chaque syllabe, j'ai pas pu me retenir plus longtemps. J'ai pas entendu la suite. J'ai jeté ma tête en arrière, je l'ai regardée et je l'ai trouvée encore plus belle que d'habitude. J'étais rendu loin. Avec elle, mais loin.

On a fini étendus sur le sofa, encore à moitié déshabillés.

— 'stie qu'on est ben, que je lui ai dit, 'stie que je t'aime.

— Je veux jamais que ça s'arrête.

Quelque temps après ça, mon père est mort. Ça faisait un bout qu'il allait vraiment pas bien. J'osais même plus le regarder, la maison sentait la maladie. La nuit, ses gémissements me réveillaient, alors je mettais la musique fort dans mes écouteurs. Je les entendais pareil. J'aurais pu me faire saigner les oreilles, je les aurais entendus pareil.

Ma mère était pas full d'accord pour que Karine soit là à l'enterrement. «C'est pas parce qu'elle est tout le temps rendue à la maison qu'elle fait partie de la famille», qu'elle m'a dit, mais il était pas question qu'elle vienne pas.

J'ai du mal à me souvenir de la cérémonie. Ça filait comme si ça arrivait pas pour vrai. Mais je me souviens que la toune qui a joué pendant qu'on portait le cercueil vers la sortie de l'église, c'était moi qui l'avait choisie. Le curé avait demandé. Ma mère voulait du classique, ou une toune de Céline Dion que tout le monde avait aimée, et tout le monde avait pleuré à l'enterrement de la femme du nettoyeur.

Je savais pas grand-chose de mon père, mais je savais qu'il était fan de Jean Leloup. Il l'avait suivi en tournée durant l'été 1998. Il voulait que je vienne avec lui, mais c'était pas des places appropriées pour les enfants. J'avais appris les paroles de presque toutes ses chansons au cas où ma mère changerait d'avis et accepterait que j'aille avec lui. Pas tant pour savoir quoi faire pendant le show que pour chanter ensemble dans l'auto, sur la route entre Saint-Jérôme et Québec. Ma préférée, c'était «Les fourmis». Elle me faisait rire jusqu'à ce que je vieillisse pis qu'elle me rende fucking triste.

Pour la sortie de l'église, j'ai choisi «Le dôme».

J'ai pas eu la force de me rendre jusqu'à la sortie. C'était pourtant pas si loin. On était pourtant en masse de gars assez forts pour porter le cercueil. Et surtout, il était rendu si léger, à la fin.

Je me suis arrêté dans l'allée. Mon oncle était derrière moi, il m'a déposé une main sur l'épaule, puis il a pris ma place. Je m'étais arrêté, mais le cortège continuait sans moi. Il partait sans moi. Comme toujours, il partait sans moi.

Karine a pris ma main dans la sienne. Elle a posé sa tête sur mon épaule, on est restés un moment là, et quand j'ai été prêt, elle a marché avec moi jusqu'à la sortie. Ma mère m'attendait dehors, un peu plus loin, en serrant le col de son trench autour de son cou alors qu'il faisait même pas froid. Elle parlait avec les voisins, mais elle avait la face qu'elle faisait quand elle m'attendait. Richard, le meilleur ami de mon père, m'a pris à part alors que j'allais la rejoindre. Il m'a serré la main et il m'a tendu une clé:

«Ton père voulait qu'elle te revienne.»

C'était la clé de la Caddy.

Ça faisait des semaines qu'elle avait disparu. Mon père la laissait toujours dans le plat à shits, dans l'entrée, mais elle y était plus.

«Quand il est tombé malade, ta mère voulait qu'il la vende. Fait qu'il m'a demandé de la garder, pis de te la donner quand... C'est ça.»

Il m'a attrapé l'épaule et il a serré. Il m'a regardé vraiment profondément. J'ai baissé les yeux.

«J'ai même pas mon permis, encore», j'ai dit. Par terre, y avait trois confettis. Un rose, un bleu et un moins bleu.

Ma mère s'est approchée. Ils ont échangé les politesses d'usage, et il a fallu qu'on y aille.

— Qu'est-ce qu'il t'a donné? elle m'a demandé.

— La clé de la Caddy.

— C'était lui qui l'avait! Ah! Je te jure, ton père... Enfin, maintenant, on aura plus à voir sa vieille carcasse traîner en avant de la maison.

— Il me l'a laissée à moi, son auto.

— Sois pas niaiseux, qu'est-ce que tu vas en faire? C'est pas vrai que tu vas te mettre à zigonner sur des niaiseries comme ton père! Comme si j'avais pas eu assez de misère de même.

J'ai serré la clé dans ma main et j'ai éclaté en sanglots. C'était la première fois que je pleurais depuis des années. Faut croire que là, j'avais trouvé une source.

J'étais plus capable d'avancer tellement les larmes me prenaient de force.

Ma mère m'a pris dans ses bras. Je me suis laissé aller. Je crois même que je gémissais dans son cou comme un kid. Elle disait «allez, allez... pleure pas, va», en me frottant le dos.

J'avais le nez collé dans le creux de son épaule, ça faisait une tache de morve sur son manteau de laine noire.

«Maman, si j'aurais su...», je gémissais.

J'avais tellement la face collée sur elle qu'elle comprenait pas ce que je disais. Elle m'a demandé de répéter. J'ai répété.

Elle a écarquillé les yeux et elle a eu un mouvement de recul.

«C'est ça, j'avais bien entendu. On dit "si J'AVAIS su". Pas "si j'aurais". Enfin c'est pas avec Karine que tu vas apprendre à parler français correctement, certain. Allez viens-t'en, le cortège va partir sans nous, le corbillard attend.»

Soudainement, j'ai eu le goût de vomir.

J'ai serré les poings et les dents.

J'ai rien dit en chemin vers le cimetière. J'ai rien entendu non plus.

Je me suis retrouvé à la maison, autour du buffet, je sais pas combien de temps plus tard. Pendant que le monde s'était regroupé dans le salon pour se rappeler mon père, plaindre ma mère et admirer la nouvelle tapisserie, je suis passé par la cour pour aller m'installer dans la Caddy. C'était la première fois que je m'assoyais dedans. J'ai pas osé me mettre au volant, j'ai plutôt choisi le siège passager. Le cuir était encore imprégné de toutes les fois où il s'y était installé pour s'échapper.

Y avait un chiffon crasseux oublié sur le tableau de bord, un vieux Discman et quelques albums de Nirvana, de Jean Leloup et de Shakira remis dans les mauvais boîtiers, dans le coffre à gants ouvert.

Je sais pas pourquoi, ça m'a pris de vouloir les ranger correctement. Il aurait haï ça. Il aimait pas qu'on touche à ses affaires. Il retrouvait plus rien, après, qu'il disait.

Entre deux CD, j'ai trouvé une carte. Ça disait «Bonne fête des pères» et c'était signé Mathieu, avec le «e» à l'envers. En dessous, j'avais dessiné un genre de grand bonhomme allumette qui tenait un plus petit bonhomme allumette par la main. Ils étaient debout sur une grosse auto blanche. Je savais pas comment dessiner «dans» la voiture, alors j'avais dessiné «sur». Je m'en suis souvenu. J'étais en première année, ma maîtresse s'appelait Claudine, elle avait des longs cheveux gris et frisés, elle sentait bizarre et elle avait une chaîne en or autour de la cheville. Ma mère l'aimait pas. La consigne qu'elle nous avait donnée pour la carte, c'était: «Dessinez une activité que vous aimez faire avec votre papa.» La carte était trop petite pour que je dessine la maison avec moi dedans pendant qu'il gossait sur son auto dehors, et anyway je savais pas dessiner «dans», alors j'avais dessiné ça. Lui pis moi debout sur le char avec deux crisses de gros sourires qui nous déchiraient la face.

Quand je lui avais offert, il m'avait serré fort contre lui et il m'avait dit que quand son auto serait réparée, on irait faire un tour tous les deux. De la cuisine, ma mère avait dit: «On verra.»

Y a des choses qui se réparent pas.

J'ai marché vers le sud pendant un bout, pis là je me ramasse ici, dans Centre-Sud, entre Sainte-Cath pis Ontario. Je cherche pus juste mon chien, je cherche une rue, un logement sur cette rue, pis dans le logement, un dude qui s'appelle Poncho, « mais c'est pas son vrai nom ». J'ai marché vers le sud pendant un bout, mais il fait pas vraiment plus chaud, nulle part.

C'est un des gros blocs pas loin du métro. Le genre de bloc que tu te demandes toujours c'est qui qui reste là quand tu passes à côté. C'est-tu des logements de vieux? Des logements sociaux? C'était-tu supposé être de quoi de hot quand ils ont pensé à les construire, pis finalement, ç'avait viré en genre de poulailler pour des poules pas en liberté? Je sais pas.

Je sonne en bas au numéro que le gars de L'Aquarium m'a donné, mais ça répond pas. Je recommence genre mille fois, à chaque fois plus fort pis plus longtemps, mais toujours pas de réponse.

J'avais aucune idée de ce que je m'en allais chercher. C'est qui, ce Poncho que le gars m'a envoyé voir? Je suis parti comme une poule pas de tête, pis s'il faut j'ai pas pris le bon chemin. Si ça se trouve, cette décision de marde là, de me ramasser si loin d'où on se tient d'habitude Sam pis moi, ça va faire que je vais l'avoir perdue à jamais. Tsé. Ces moments où ta vie se décide en une seconde comme quand t'échappes de quoi à terre et que tu le vois tomber au ralenti. Tu peux rien faire pour le rattraper. Tu sais que ça va briser à la minute où ça va toucher le sol, mais tu peux rien faire. Tu peux rien faire, jamais, que ramasser les morceaux.

Je m'assois sur un muret, pas loin de kids qui jasent de niaiseries, des différentes sortes de pot ou du dernier film de J. J. Abrams, autour de leurs béciks. Ils doivent avoir dix ans de moins que moi, dix vies de moins que moi. Je sais pas ce qu'ils crissent dehors en plein après-midi, de même. C'est p'têt' la relâche, ils ont décroché ou ils foxent, juste. Whatever. Y en a un qui vient me quêter une cigarette, mais je fume pas. Ouais. J'espère t'es prêt à te faire ébranler les certitudes: je vis dans la rue, mais je fume pas, pis je me gèle pas non plus.

«C'est cool, man. Pas de trouble.» Avant d'aller rejoindre ses chums, il prend une pause et il ajoute: «Hey. A marchent pas, les sonnettes, dude. T'as rien qu'à pousser la porte.»

Poncho reste au 807. Depuis tantôt, je me demande à quoi ça me fait penser, ce nom-là, si c'est le papa des cent un dalmatiens ou le chum de Don Quichotte, fuck knows pourquoi je me souviens de ce livre-là maintenant.

J'aime pas ben ben les ascenseurs, alors je monte à pied. On dirait que mon espoir est proportionnel au nombre de marches. Plus je monte, et plus je me dis que Sam va être là. Couchée sur le sofa du dude à attendre que je vienne la chercher, en regardant du daytime TV et en bouffant des crottes de fromage, parce qu'un gars qui s'appelle Poncho pis qui reste à cette place-là, c'est pas mal ça qu'il fait de ses journées.

Quand je cogne au 807, y a deux chiens qui aboient, mais c'est pas elle. Je reconnais pas sa voix. La porte s'ouvre.

— Poncho?

— Ouin.

Je m'attendais à un BS, fait que je suis surpris. Poncho est un gars assez petit, mais imposant pareil. Solide comme un bloc de béton. Il est habillé tout en noir et il a des gros écouteurs autour du cou. Derrière lui, y a quatre chiens. Deux gros qui sont assis pis qui me regardent, un autre qui voudrait bien s'approcher pour me dire allo ou me bouffer un mollet, pis un autre, plus petit, qui jappe une fois de temps en temps. J'aperçois le cul d'un autre, couché sur le sofa, mais c'est pas Sam, pis il est pas en train de bouffer des crottes de fromages non plus. Il regarde du daytime TV, par exemple.

Le gars a l'air exaspéré que j'examine le dedans de son foyer sans lui dire un mot, il répète:

— Ouais?

— Euh... ouin. C't'un gars qui m'a dit de venir te voir. J'ai perdu mon chien.

— Un pit?

— Ouin.

— Rentre.

Chez lui, ça sent le chien pis la smoke. Dans la cuisine barricadée par une feuille de MDF pis une plante, y a un sixième chien, une madame avec ses huit petits. Neuf. Y en avait un de pris en dessous de deux autres.

D'un coup, j'ai peur que le gars de L'Aquarium m'ait envoyé ici pour que je prenne un nouveau chien. Parce que Poncho en a mille, il va bien pouvoir lui en donner un, qu'il a dû se dire. Fuck. Je veux pas n'importe quel chien, je veux Sam. Même si le petit écrasé a l'air cute.

«Tu l'as perdu où, ton chien?»

Poncho s'est assis dans le sofa et il me fait signe de prendre le fauteuil, juste en face, mais y a un chien qui vient d'atterrir dessus.

— Tasse-la. C't'un mâle ou une femelle, ton chien?

— C't'une fille. Je l'ai perdue sur Masson, en avant du Couche-Tard. Je suis rentré deux minutes pis elle était pus là quand je suis sorti.

— Elle est-tu opérée?

— Ouais.

— Nice.

Je suis inquiet pour le petit écrasé. Il est à nouveau rendu sous trois quatre de ses frères. Si Sam était là, elle laisserait pas faire ça. Si elle était là, p'têt' qu'elle me dirait: *Viens-t'en, on le prend. Nous autres on va l'aimer pis on l'étouffera pas.*

J'ai la tête qui tourne. J'avais pas envie de bouger le chien du fauteuil parce que j'aime pas ça, aller chez le monde pis prendre leurs affaires, alors je m'assois sur l'accoudoir. J'ai de la misère à respirer. C'est pas l'odeur de smoke, c'est pas l'odeur de chiens, c'est moi. C'est mes poumons. Y a de quoi de croche avec mes poumons. J'inspire un grand coup.

— Faut je la retrouve, que je dis à Poncho.

— Inquiète-toi pas. C'est quoi son nom?

— Sam. Sam comme dans «Samantha», pas comme dans juste «Sam».

— OK, pis ça fait longtemps que tu l'as?

J'ai haussé les épaules.

«Tu l'as prise où?»

J'ai jamais raconté l'histoire, avant. Je suis pas sûr d'être prêt. Fait que je fais juste ouvrir la bouche et j'écoute ce qui sort:

— Lila voulait un chien. Moi, quand j'étais kid, ma mère a jamais accepté qu'on en ait un. Fait que j'ai dit OK. On est allés à la SPCA pis elle a choisi Sam.

— Lila, c'est ton ex?

— Non.

Lila voulait l'appeler Coccinelle, mais j'ai dit non. Je lui refusais pas souvent de quoi, mais là, il a fallu que je mette mon pied à terre.

— On va l'appeler Sam.

— Mais Sam, c'est un nom de garçon, et elle, c'est une fiiiiiille!

Son «i» a duré au moins dix-huit secondes pour que son argument ait plus de poids.

— Coccinelle, c'est pas un nom de chien, bébé. Enfin oui, ça peut, si c'est un tout petit chien. Mais elle, quand elle sera grande, elle va être... grande.

— Grande comment?

— Grande.

— Plus grande que moi?

— Peut-être, oui.

Elle a surjoué l'étonnement, parce que surjouer, c'était ça qu'elle préférait faire, dans la vie. Elle sortait des phrases d'adulte qui sonnaient vraiment drôle dans une si petite bouche. Elle citait des morceaux de films entiers, des affaires qu'elle aurait pas dû savoir qui venaient d'affaires qu'elle aurait pas dû regarder. Quand je lui demandais où elle avait pris ça, à l'école, chez madame Hammoudi, ou à la télé, elle soupirait, et elle me répondait, d'un ton affligé: «Tu comprends pas, papa.» Moi, je rigolais.

Donc quand je lui ai appris qu'une fois adulte, sa chienne serait p'têt' plus grande qu'elle, elle a écarquillé les yeux et elle a ouvert la bouche, genre *Mais comment est-ce possible?????*

Elle a ensuite regardé le chiot en penchant la tête sur le côté, puis de l'autre côté. Elle faisait ça quand elle analysait de quoi. Fallait qu'elle loade toutes les informations.

Elle a dit:

— OK, mais on lui achète un collier rose.

— Deal.

J'ai tendu la main pour sceller notre accord. Elle m'a shaké ça comme un vendeur de char qui vient de te fourrer.

Ma petite comédienne.

Poncho est au téléphone avec une fille qui va p'têt' pouvoir m'aider. Ou pas.

Assis sur le bras du fauteuil, je suis pas capable de voir si le petit écrasé s'est pas noyé sous un tas de parenté. La mère a pas l'air inquiète, mais me semble, je la truste pas.

J'ai mal à une dent du fond, ça élance dans toute ma mâchoire jusqu'en arrière de mon œil. J'ai toujours eu ça. Je suis allé voir plusieurs fois le dentiste, dans le temps. À chaque fois, je me disais : « Ça y est, j'ai mille caries, il va devoir m'arracher la moitié de la gueule pis ça va faire mal. »

Mais non.

J'avais juste trop serré les dents.

Avec la mort de mon père pis tout, Karine m'avait pas annoncé qu'elle allait se faire avorter. En fait, elle voulait pas que je sois au courant, mais elle en avait parlé à la blonde de Dave, qui l'avait dit à Dave, qui avait vendu la mèche. J'avais couru jusqu'à chez elle, j'avais même pas attendu de plus être dans l'entrée et d'avoir enlevé mes bottes pour lui demander: «T'es enceinte?» Elle m'avait fait les gros yeux en pointant ses parents du pouce, mais ils avaient rien entendu parce qu'ils écoutaient le débat des chefs en passant des commentaires chacun de leur bord dès qu'André Boisclair prenait la parole. Dans les escaliers pour monter dans sa chambre, j'ai ajouté: «Pourquoi tu m'as pas dit que tu voulais te faire avorter?»

Elle s'est retournée vers moi:

— Voyons, tabarnak, vas-tu te fermer la gueule?

— Shit. Désolé.

Elle m'avait chuté comme elle chutait ses chats quand ils gossaient pour avoir de la bouffe pis que c'était pas l'heure.

Une fois en haut, on a pu parler. Je lui ai touché le ventre, mais elle m'a repoussé en m'envoyant chier. Elle a sacré après Mélissa qui l'avait dit à Dave qui avait vendu la mèche, pis c'est après ça qu'elle m'a avoué qu'elle avait gardé le secret à cause de mon père, et tout.

— Et tout quoi? que j'ai demandé.

— Ben... «et tout», là... j'ai pensé que t'allais gosser pour qu'on le garde, pis j'avais pas envie d'avoir cette conversation-là.

— Quelle conversation?

— Ben celle-là.

Dans ma tête, je parlais à mon kid. Je lui envoyais plein de messages, plein d'ondes pis d'amour: *T'inquiète pas, je vais la convaincre. On va t'avoir pis on va t'aimer. Je t'aime déjà. Elle aussi, mais elle le sait pas encore. T'inquiète pas, bébé. Tout va ben aller*

Je pensais pas que ça serait aussi difficile que ça. On s'est pognés. Je lui ai dit que si je pouvais le porter moi, je le ferais. Elle m'a répondu que j'étais tellement une meilleure personne qu'elle, mais c'était sarcastique. En fait je sais pas trop si j'utilise «sarcastique» correctement, parce que je crois qu'elle pensait vraiment que j'étais une meilleure personne qu'elle. J'ai trouvé ça fucking triste et fucking pas vrai, parce que moi, j'aurais pas été surpris si on m'avait dit que la terre tournait autour de son nombril.

— Anyway, t'es la femme de ma vie. On va se marier, pis on va vivre ensemble, pis des enfants, on en aura anyway, right?

— Je sais pas, là...

— On fait juste commencer avant ce qu'on avait prévu, mais c'est pas grave. On va s'arranger. L'important c'est qu'on s'aime, pis qu'on va l'aimer, ce petit bébé-là.

J'ai remis ma main sur son ventre, pis je lui ai envoyé *Je crois que c'est correct* par la pensée. Karine avait les sourcils froncés, ça lui faisait une petite ride à côté du sourcil. «Mais je veux pas cette vie-là, moi, Mathieu.»

Je lui ai juré qu'y aurait rien qui changerait pour elle. Que c'était moi qui allais m'en occuper. Que dès qu'elle aurait accouché, elle pourrait reprendre sa vie normale, mais en mieux, parce qu'elle serait complète et parfaite. Elle aurait besoin de rien d'autre, fallait juste qu'elle me fasse confiance.

Elle a soupiré: «Si tu veux.»

Je l'ai serrée dans mes bras et j'ai demandé à son ventre s'il nous fabriquait un petit gars ou une petite fille. Karine a souri et elle m'a caressé les cheveux. Elle espérait que ce soit un garçon.

«Parce que maman veut pas partager papa avec une autre.» J'ai ri aussi, je l'ai embrassée. Ce serait toujours elle, la femme de ma vie. «Y a jamais rien ni personne que j'aimerai plus que toi.»

D'après ce que dit Poncho, c'est cool que Sam soit opérée, parce que dans ce temps-là, quand ils s'en rendent compte, ils les gardent pas, ils les relâchent, pis la SPCA, ou le Berger Blanc si on est pas chanceux, les ramasse dans la rue. Parce qu'ils se servent des femelles pour la reproduction. Si elle peut pas se reproduire, ça les intéresse pas.

— Qui ça, «ils»?

— Le monde qui font des combats de chiens. Ils volent les femelles pour leur faire faire des petits et les mâles pour servir de bait avant un combat.

— De bait?

— D'appât. T'as déjà vu un combat de chiens? Tu sais comment ça marche?

— Non... Aux États, ouais, je sais qu'y en a. Mais ici?

Poncho me pointe du menton le chien qui s'est endormi devant la télé. «Beef, debout, gros tas!»

Beef lève la tête et remue la queue. Il lui manque un œil et il a presque pas d'oreilles, juste des trous. Une longue cicatrice sur l'épaule et une dizaine dans la face finissent de le défigurer.

«Ça se peut pas...»

J'ai le goût de brailler. Je comprends pas pourquoi y a du monde qui font ça. Je pensais que c'était une légende, j'espérais que c'en était une. Une affaire que tu te racontes dans les squats quand tu peux pas dormir et que t'as pas envie de parler de tes monstres à toi.

Poncho continue, il m'explique en détail des affaires que je veux même pas imaginer. Il met des mots précis sur ce que l'être humain fait de pire, et moi je veux plus l'entendre. Je reçois toute la souffrance de tous les chiens de toutes les arènes. C'est ma chair qu'on arrache, ma confiance qu'on piétine, mon corps sous les coups. C'est ma prison à moi avec.

Un souvenir m'attire vraiment loin.

T'es trop sensible, Mat. Let it go.

Au retour de la dernière échographie, Karine, Dave, Mélissa pis moi, on était dans mon sous-sol. Y avait p'têt' aussi le gros Massé, qu'était plus vraiment gros, mais qu'on appelait toujours le gros Massé pareil. Je flattais la photo qu'on nous avait donnée, comme un cave. J'étais le seul qui était pas gelé, mais c'est moi qui en avais le plus l'air. Karine avait pas vraiment arrêté de fumer du pot pendant sa grossesse. Elle avait diminué, à force qu'on se pogne, mais elle me disait que je pouvais pas comprendre ce qu'elle vivait, que je pouvais pas comprendre ce que c'était que d'avoir une affaire qui te pousse dans le ventre, qui te rend malade pis qui prend toute la place. Elle avait besoin de ça pour passer au travers. Moi j'avais arrêté de me geler parce que j'avais googlé tous les effets possibles de la fumée et de la mari sur un fœtus, pis c'était ça qui me rendait malade.

Anyway.

Pendant que les autres jasaient d'affaires, je flattais ma photo d'échographie, pis je lui parlais, parce que j'avais plus le droit de parler au ventre de Karine, vu que ça la gossait. J'attendais qu'elle dorme pour le faire, mais parfois elle se réveillait et elle me traitait de freak avant de me tourner le dos en sacrant. Une fois, elle est même rentrée coucher chez elle en plein milieu de la nuit. J'avais essayé de la retenir, mais elle s'était vraiment énervée, tellement que ça avait réveillé ma mère, qui m'avait dit, avant de se recoucher, qu'on verrait bien où ça me mènerait d'avoir fait un enfant à une folle et qu'une chance que cet enfant l'aurait, elle, si nos niaiseries, à moi pis sa mère, la tuaient pas avant.

Dave pis le gros Massé parlaient de je sais pas quoi, des différentes sortes de pot ou du dernier film de J. J. Abrams, pis ça fatiguait Dave que je participe pas à la conversation.

«Hey, Mat! Arrête de fixer sur ton fœtus, on parle d'affaires importantes, là!» Karine lui a répondu: «Oublie ça, y a rien d'autre qui l'intéresse de ce temps-citte.»

Je comprenais pas vraiment ce qui était supposé m'intéresser d'autre. La musique? Les chars? Le cul? J'avais jamais trouvé Karine aussi belle et aussi désirable que là, mais ça me tentait pas full de fourrer, parce que je voulais pas poker la face de mon kid. Je pensais juste à ça pendant, pis ça minait ma concentration, mettons. Parfois quand elle se levait tôt le matin pour aller pisser avant de venir se recoucher, je faisais semblant de dormir encore, mais je la regardais. C'était tous les matins à la même heure. J'avais mon horloge interne qui me réveillait quelques secondes avant elle, pour être sûr de rien manquer, d'un coup qu'elle sacre pas cette fois-là, ou qu'elle claque pas la porte de la salle de bain derrière elle. Je sais même pas si y a un mot pour dire comment je la regardais fort. Je sais pas si y a un mot pour dire comment je l'aimais fort.

De dos, on aurait pas cru qu'elle était enceinte. P'têt' juste la taille un peu moins fine, les hanches un peu plus larges, mais n'importe qui aurait pas vu la différence. Elle était belle comme normalement. Mais quand elle se tournait de profil pour retourner se coucher, c'était presque une surprise à chaque fois. Tout l'amour que j'avais pour elle et pour notre bébé en préparation me revenait dans la face d'un seul coup. Comme un coucher de soleil qui crisse le feu dans le ciel, et c'est tellement beau que ça te fout les larmes aux yeux, même s'il se couchera pareil demain, pis l'autre demain d'après, pis les autres jours aussi. Une couple de fois, j'ai essayé de lui dire qu'y avait rien de plus beau que ça, qu'y avait rien de plus beau qu'elle en ce moment, avec son ventre tout rond, mais elle me répondait à chaque fois quelque chose du genre: «Pis aller pisser aux quinze minutes, ça aussi, y a rien de plus merveilleux?» alors je me fermais la gueule, mais j'avais les yeux pleins d'eau pareil. Elle s'en rendait compte et elle se radoucissait un peu: «T'es trop sensible, Mat. Let it go.»

Fait que là, on était dans le sous-sol, chez nous, pis j'étais supposé m'intéresser à d'autres choses que ma petite fille en fabrication. J'ai montré la photo de l'échographie à Mélissa, à Dave et au gros Massé.

«Check», je leur ai dit. J'ai posé ma main sur le ventre de Karine: «C'est merveilleux ce qu'est en train de se passer là-dedans. On est en train de fabriquer la plus belle affaire sur terre. Tsé... une fille... une femme, là... Y a rien de plus cool sur terre, non?» J'ai regardé Karine. Elle souriait un peu, juste avec les yeux. «Pis c'est ça que t'es en train de faire, pis c'est la plus belle affaire au monde», j'ai répété.

Y a eu un gros silence.

Le gros Massé a tiré une grosse poffe sur le joint, pis d'un ton super grave, il a expiré:

«Je sais pas, man... un zèbre c'est quand même super cute.»

Poncho continue de me parler un peu de l'organisation autour des combats de chiens. C'est son affaire, sa cause. Il y tient pis il se bat contre, avec ses moyens à son échelle. Je l'admire un peu. Moi, ma cause, c'est de retrouver ce que j'ai perdu, ou du moins ne pas le perdre plus. Avant que je parte, il me conseille d'aller voir à la SPCA demain, et au Berger Blanc demain et les jours d'après. Tous les jours, jusqu'à ce que je la retrouve. Parce que quand t'es un chien perdu à Montréal, y a pas que la menace de se faire enrôler dans des combats, y a aussi le Berger Blanc.

— Mais je t'ai assez raconté d'horreurs pour aujourd'hui. T'inquiète pas. Vas-y juste tous les jours, comme je te dis. Je te donne mon cell. Appelle-moi pour me donner des news.

— C'est pas mieux que j'y aille là maintenant, à la SPCA et à l'autre place?

— Ça donnera rien, elle y sera pas encore. Trust me, vas-y demain. En attendant, tu peux toujours vérifier aux places où vous êtes souvent, on sait jamais.

— Et je peux pas aller voir... où tu dis qu'ils font des... d'un coup qu'elle y serait?

— Elle y sera pas.

— Mais mettons ?

Il soupire et il me donne l'adresse en me répétant plusieurs fois que je devrais pas y aller. Ça donnera rien. En sortant de chez lui, je jette un coup d'œil vers la cuisine. Le petit écrasé a finalement réussi à se frayer un chemin jusqu'à une tétine. Je pense qu'il va être correct.

Y a de quoi qui me gosse dans mon soulier depuis midi. Au début, je pensais que c'était une roche, mais je voulais pas m'arrêter pour checker, pis maintenant, c'est pire et je suis sûr ça saigne. Ostie d'épais, you know better.

J'ai l'habitude de marcher, mais là ça fait beaucoup dans une même journée, pis ce matin, j'avais pus de bas propres, fait que j'ai dû remettre ceux d'hier. Les bas, c'est l'affaire la plus importante quand t'as pus de chez vous. Faut en avoir vraiment beaucoup de paires pis les laver souvent. Dans ton sac avec tes affaires, faut que t'aies un bord pour les bas sales pis un autre pour les bas propres, et faut jamais que tu te fourres et que tu piges dans le côté des bas sales. Sauf mettons si t'as plus de bas propres, là, t'as pas trop le choix. Anyway. J'ai mal aux pieds et aussi à la face.

En marchant jusque chez la fille, je continue d'espérer que Sam surgisse au coin d'une rue. Je pense à Beef, au petit écrasé et aux autres chiens. À tous les chiens. Je suis content qu'il y ait du monde comme Poncho dans la vie. P'têt' que j'aimerais ça me faire sauver pis recueillir moi avec. *Mathieu, tu t'es battu suffisamment. T'as eu assez mal. Si t'arrêtes cinq minutes, tu deviendras pas fou. Essaye juste, voir. Pour me faire plaisir.*

Sauf que j'ai pas eu assez mal, pis j'aurai jamais assez mal.

La cousine pope dans ma tête. Elle partait de chez elle comme on arrivait, hier soir, et on s'est croisés dans l'escalier. Elle a mis son coat comme un gars mettrait son coat. Tellement pas gracieux que ça l'était presque. Je sais pas son nom. Je fais plus ça, connaître les noms de filles. J'ai-tu oublié, ou bien si elle me l'a jamais dit? Ça doit être Marie-quelque-chose. C'est toujours Marie-quelque-chose. Elle a descendu les escaliers quatre à quatre et, avant d'ouvrir la porte d'en bas, elle a mis sa capuche sur sa tête, et ses longs cheveux frisés dépassaient juste d'un bord. Elle a des grands yeux weirds et ses manches sont trop longues. Les filles ont toutes des grandes dents et les hanches trop larges. Elle, non. Le bout de ses bottes est décollé, ça doit la gosser quand elle marche.

J'ai pas regardé son cul.

Sa capuche est retombée quand elle a sauté les trois dernières marches jusqu'au trottoir. Elle s'est retournée, et Sam et moi, on était encore en haut. Elle nous a dit «Bye bonne soirée!» avec trop d'énergie.

Elle ressemble à Sylvester Stallone dans le film où il joue un trucker. En plus cute, mais quand même. Trucker.

« Regarde papa, elles se font des bisous ! »

On était à l'enclos à chiens du parc Laurier. Ça nous prenait une demi-heure de marche pour y arriver, de chez nous, mais on y était tout le temps, anyway. Avant d'adopter Sam, c'était parce que Lila voulait voir les chiens, et depuis qu'on l'avait, c'était soi-disant pour qu'elle se fasse des amis chiens, parce que « ça devait être plate, pour elle, d'être tout le temps rien qu'avec nous ». Nice.

Fait que là, c'était dimanche, et comme Lila avait pas d'école, on en était au moins à notre troisième visite de la journée, pis Sam frenchait un genre de petit chien blanc poilu avec une barrette rose qui empêchait ses cheveux de lui tomber dans face. Elle avait l'air de puer de la gueule et d'avoir un œil de vitre... J'ai jamais vraiment compris ce que Sam pouvait bien lui trouver. Anyway. Elles se faisaient des bisous, ou elles essayaient de se curer mutuellement les dents pour des restes de croquettes, je sais pas, mais ça intriguait Lila.

— Est-ce que ça veut dire que Sam est lesbienne, papa ?

— Euh...

Tsé quand ils ont l'âge qu'ils te posent mille questions que tu sais jamais quoi répondre, là? Ben ma fille était dedans depuis qu'elle avait dit ses premiers mots, pis ça avait jamais arrêté. C'était pas mal terrifiant au début, mais elle s'était vite rendu compte que je savais rarement de quoi je parlais en matière de rien. C'est devenu moins pire quand on a introduit Wikipédia dans le noyau familial.

— Papa, pourquoi les étoiles, elles sont pas jaunes comme le soleil?

— Parce que... c'est comme ça, c'est comme parfois y a des arbres qui sont pas du même vert, c'est la nature.

— Hum. Est-ce qu'on peut regarder sur Wikipédia?

Plein de monde se serait vexé, mais moi je trouvais ça cool que ma fille s'intéresse à full d'affaires, pis j'étais content qu'elle se limite pas à ce que je savais moi, dans la vie. Je voulais que Lila fasse ce qu'elle voudrait, plus tard, qu'elle ait assez de force pour tenir le monde dans ses mains, mais assez de courage pis d'intelligence pour dire fuck it si elle avait pas le goût pis qu'elle voulait aller ramasser des cerises au B.C. à la place.

Mais là, pour le coup, Wikipédia aurait pas su si Sam était lesbienne ou pas. Pis j'avais comme pas envie de googler «chienne frenche chienne lesbienne?» avec ma fille sur les genoux. J'ai préféré dévier la conversation.

— Comment ça tu connais ce mot?

— La famille de Camille, à l'école, ils sont lesbiennes.

— ... Donc elle a deux mamans?

— Ben oui, c'est ça je dis!

— OK... pis t'as-tu des questions par rapport à ça?

Lila a réfléchi un moment, elle a haussé les épaules et elle a continué:

— P'têt' que c'est parce qu'on l'a fait opérer pour pas qu'elle ait de bébés qu'elle est devenue lesbienne... Tu crois que c'est pour ça?

— Ben... si c'est comme les humains, tu nais comme ça, tu peux pas le devenir à cause d'une opération.

— Pis moi, je suis-tu une lesbienne?

J'ai soupiré. Je voulais lui dire: *Câlisse Lila, tu me fais mal à la tête avec tes questions! T'as six ans, je le sais pas, si t'es lesbienne, pense plutôt à ce qui va bien pouvoir arriver dans Kaboum ou au bracelet de perles que tu veux te fabriquer. On joue au jeu de «on se tait jusqu'à la maison».*

J'avais vingt-quatre ans, j'avais pas fini mon cégep, pis j'élevais mon kid tout seul. C'était sûr que j'allais finir par la scrapper. Ma mère me l'avait prédit, tout le personnel scolaire me le disait sans me le dire quand y avait des réunions à l'école, je le voyais dans leurs yeux, pis surtout, moi je me le répétais à tous les matins en me réveillant et à tous les soirs en me couchant, pis à chaque fois que je croisais mon reflet quelque part. J'avais lu tous les modes d'emploi pour parents et je faisais tout ce qu'ils me disaient de faire, sauf ceux qui me conseillaient de truster mon instinct. Parce que, historiquement, mon instinct avait jamais été super bright. Fait que je lui ai répondu par une question. C'était la meilleure technique que j'avais trouvée pour faire spinner son cerveau sur lui-même.

— Je sais pas... Est-ce que t'as l'impression que tu pourrais tomber en amour avec une petite fille?

— Ark ! Non !

— OK, donc non, t'es pas lesbienne. Ça veut dire que tu pourrais tomber en amour avec un petit garçon.

— Aaaaaark ! NON !

— OK ben… t'es trop petite anyway. L'amour, c'est des affaires de grands. Tu verras plus tard si t'es lesbienne ou hétéro ou quoi, mais moi je vais t'aimer pareil whatever what. OK ?

— OK…

— OK.

Je voyais à sa face qu'elle en avait pas fini avec moi. La maîtresse du petit chien blanc fumait une cigarette pas loin de nous, et parfois elle me jetait des clins d'œil amusés pis complices. Ça me faisait sentir un peu moins inadéquat.

Comme prévu, Lila a continué sur sa lancée :

« Moi là… quand je serai grande, je serai ni lesbienne ni rien. J'aimerai personne et je serai toute seule comme toi. » Elle a vu que j'avais les yeux pleins d'eau, même si j'essayais de les faire sécher pendant que je cherchais de quoi de beau pis d'intelligent à répondre.

Elle m'a pris la main et elle m'a souri, aussi fière que quand elle avait bravé l'eau frette de la plage du parc Jean-Drapeau l'année d'avant, quand elle m'avait demandé de l'amener voir la mer, pis que notre budget voyage se limitait à deux tickets de métro.

Elle a serré un peu plus mes doigts, et elle a déclaré : « On a besoin de personne, nous, papa. »

Sam est pas là quand j'arrive chez la cousine. Ni à la porte ni en dedans. La fille est dans le salon. À genoux devant la télé éteinte, elle gosse après la boîte de Vidéotron. Ses jeans sont déchirés sur la fesse droite, juste au-dessus de la poche.

— Hey. T'as pas vu mon chien?

— Ben non. Elle est où?

— C'est ça justement, je sais pas. Je l'ai perdue.

— Tu sais réparer le câble?

— Non.

Elle soupire et elle me regarde en fronçant les sourcils.

— T'as cherché partout?

— Le câble?

— Non, ton chien.

— Ah. Euh... je sais pas.

Ma voix fausse. Je lève les yeux en l'air pour essayer d'assécher les larmes qui arrivent.

« Tu veux qu'on aille faire un tour du quartier en auto, pour voir si elle est pas quelque part? Anyway, la TV marche pus. »

Elle prend ses clés de char et elle ajoute: «Dépêche, il va bientôt faire nuit.»

Je voudrais lui demander de me laisser tout seul avec ma douleur, mais c'est vrai qu'en char, tu couvres plus de terrain. J'espère juste que la fille parle pas trop et qu'elle fume pas en soufflant sa fumée dehors, par la vitre à moitié ouverte.

Elle conduit une manuelle et elle chante. Fort, et pas très juste. *You shoot me down but I won't fall... I am titanium.* La voiture fait des bonds sous les basses. Elle s'allume une cigarette. Sa musique est beaucoup trop loud, et quand je lui demande de la baisser, elle le fait en levant les yeux au ciel comme si j'étais un vieux con, pis elle se met à parler. Beaucoup. À poser des questions, en fait. Je réponds par monosyllabes. «Hum», «ouin», «nan», en haussant les épaules. J'aimais mieux la musique, finalement. Je regarde par la vitre, pis des fois j'appelle Sam, d'un coup qu'elle sorte d'une ruelle avec sa face de *Ah! Thank God t'es là! J'ai poursuivi un écureuil, pis next thing I know, je savais pus t'étais où.* La nuit est en train de tomber, et ça me gosse vraiment beaucoup, mais la lumière est fucking belle. Je voudrais qu'il fasse gris, que les nuages soient tellement bas qu'on doive se baisser pour pas les manger dans face. Là, l'orange et la chaleur du ciel me rappellent que le monde se crisse ben de moi pis de nous. Que le monde continue sa vie comme si de rien n'était, alors que j'ai perdu la seule affaire qui me restait.

Je regarde la fille pour la première fois depuis que je suis monté dans son auto. Je suis sur le bord de lui gueuler de se fermer la trappe, de m'arrêter sur le bord du chemin, de me laisser continuer à chercher mon chien tout seul. Je comprends pas pourquoi tu fais tout ça, je suis pas une fucking œuvre de charité ou une activité pour remplacer la date qui t'a chokée au dernier moment ou whatever. Tu me gosses. Ta musique me gosse, ton char me gosse, ta fumée me gosse, tes questions me gossent... Pis by the way, t'as l'air d'un dude.

Je la regarde, j'ouvre la bouche pour sortir tout ça d'une traite. La fille me regarde en souriant, nowhere near prête à recevoir tout ça. Un regard sans barrière, sans armure, bleu fragile avec un dégradé noir, plus profond.

C'est cute, l'écart entre ses dents. Je me mords la lèvre pour ravaler mon char de marde. À la place, je lui demande :

« Pourquoi tu fais ça ? »

Elle hausse les épaules pis elle se met à chantonner la toune qui joue. *Tu diras... tu diras que c'est l'instinct qui t'a mené jusqu'ici. L'intuition d'un sentiment qui ne reviendra pas.*

Le soleil vient de passer derrière les immeubles, ça fait onduler toute la rue Hochelaga. Le monde rentre chez eux. Le monde ferme les fenêtres. C'était p'têt' la dernière belle journée avant un crisse de bout. Ils auraient aimé en profiter plus que ça. Ils filent comme un condamné qui aurait vomi son dernier repas. Le monde allume la TV dans le salon pour oublier.

On roule vers Masson. Je regarde dehors, à droite, mais parfois je regarde à gauche, et quand je regarde à gauche, je vois la fille. Elle sourit je sais pas à quoi, p'têt' à moi, p'têt' à la toune.

P'têt' à une histoire qu'elle est en train de se conter dans sa tête.

Parfois j'étais dans le salon ou la cuisine et je l'entendais jouer avec ses poupées et ses toutous. Elle leur contait des histoires et elle leur expliquait tout croche des affaires qu'elle venait d'apprendre, elle leur chantait des chansons... Je me tannais jamais d'écouter sa voix.

C'est pas vrai.

Parfois j'étais plus capable de l'entendre. J'aurais juste eu besoin d'une pause. Qu'elle arrête un peu. Que quelqu'un prenne le relais et me dise que j'avais fait une bonne job, mais que là, j'avais besoin de souffler. De respirer. D'étouffer moins.

Parfois j'imaginais ce que ç'aurait été, ma vie, sans elle. Karine serait p'têt' pas partie. Je serais p'têt' devenu de quoi de big, architecte, ou fucking avocat. Quand, bébé, elle faisait des crises de larmes, quand elle hurlait, je m'enfermais dans ma chambre en braillant pour pas lui crisser un oreiller sur la face jusqu'à ce qu'elle se taise. Je savais pas si j'en verrais un jour le bout. Moi non plus, je voulais pas cette vie-là. Mais moi, je m'étais pas poussé.

Pour chaque seconde où je haïssais ma fille, je me haïssais après pendant des semaines. En la regardant dormir, avec mon index dans son petit poing fermé, je me répétais que je la méritais pas.

Mais elle avait juste moi.

Avec la fille, on profite du reste de clarté pour aller vérifier à toutes les places où on dort le plus souvent, Sam et moi. Elle est pas nulle part, et personne l'a vue. Le dernier gars qu'on croise à notre spot sur Dandurand nous dit qu'elle doit s'être fait frapper par un char. «Ça arrive tout le temps.» En sortant de la buanderie, de rage, je me crisse la tête dans le mur. Je fais ça des fois.

L'œil me pique, et j'ai la tête qui tourne.

«Embarque, on va rentrer, je vais faire des pâtes, que la fille me dit. T'as du sang dans l'œil, faut checker ça.»

Rendu là, je suis comme un automate. Elle aurait pu me dire: «Couche-toi au milieu du chemin, je vais te rouler dessus avec mon auto», je l'aurais fait pareil.

Fait que je suis assis dans le salon, la fille est dans la cuisine, pis ç'a l'air de brasser, et y a des plasters, de la ouate et de l'alcool sur la table basse en avant de moi. Je me sens comme dans le film avec le dude amnésique qui se tatoue des affaires sur le corps pour se souvenir. J'ai les pièces d'un casse-tête avec lequel je suis supposé faire de quoi, mais j'ai aucune idée comment. Vu que je sais faire A+1, je me doute que le kit de premiers soins, c'est pour nettoyer le bobo qui est après me couler dans l'œil. Donc c'est ça je fais. Enfin, c'est ça je commence à faire. La fille me crie de la cuisine:

«Hey! Je t'ai dit d'attendre! T'as les mains qui shakent, tu vas faire pire que mieux!»

Quand Lila est née, j'avais à peine dix-huit ans et j'avais vraiment aucune idée de ce que je faisais. Karine non plus, mais elle crissait pas grand-chose, anyway. On habitait chez ma mère parce que ses parents à elle étaient pas d'accord qu'elle ait un kid, parce qu'ils la trouvaient irresponsable. Je pense que c'est en partie grâce à ça qu'elle avait finalement accepté qu'on garde le bébé. Pas pour leur prouver qu'ils avaient tort, juste pour les gosser. Ma mère aidait pas mal. Enfin, disons qu'elle pointait ce qu'on faisait tout croche pis qu'elle finissait par le faire à notre place. On avait le sous-sol juste pour nous, mais, évidemment, on partageait le reste de la maison. Ma blonde se plaignait tout le temps de ça.

— On a même pas notre propre porte d'entrée, on a même pas notre propre cuisine.

— Mais tu fais pas la bouffe, anyway.

— Ça se peut que je cuisinerais, si on était chez nous.

— Bientôt, babe. Bientôt.

C'était un peu avant que Karine parte pour Halifax, Lila devait avoir trois mois et elle pleurait tout le temps quand j'étais pas là. Pis j'étais pas souvent là parce que j'alignais des shifts de douze heures à La Belle Province pour qu'on puisse s'en aller en appartement. Karine partait des après-midi entiers, elle laissait la petite à ma mère. Le gros Massé m'avait conté qu'elle allait chez Dave. C'est pas grave, je me disais. Une fois qu'on aura notre appart, on sera bien, tous les trois. P'têt' même qu'on pourrait adopter un chien, pis après on achèterait une maison et on aurait deux ou trois autres kids.

Fait que c'est ça. Un soir, je suis revenu du travail. J'avais commencé à sept heures, et j'étais resté jusqu'à dix heures du soir parce qu'une de mes collègues était pas rentrée. J'étais vidé, je sentais la friture et j'étais pas ben ben de bonne humeur. Je me suis arrêté devant la porte. Pendant deux secondes, j'ai eu le goût de me pousser. Je savais pas où, c'est pas assez, deux secondes, pour faire des plans, mais en tout cas je voulais que ce soit loin. Je sais pas si c'est parce qu'elle m'a entendu arriver, ou quoi, mais Lila s'est mise à pleurer. C'était comme un sort qu'elle me jetait, à chaque fois. Je pouvais pas faire autrement que de répondre. Y a des fois où ça me faisait même pas plaisir, et je le faisais juste pour pas qu'elle meure.

Je suis rentré, et ma mère était assise sur le divan avec le bébé dans les bras.

– Voyons, tu rentres donc bien tard!

– J'ai dû remplacer Caro.

J'ai tendu les mains vers ma fille.

– Tu me la donnes?

– Non, tu pues. Va te laver, avant. Elle pleure depuis que t'es parti, elle est folle comme sa mère. D'ailleurs, je l'ai pas vue de la journée, elle.

J'ai soupiré, je me suis agenouillé à côté d'elles et j'ai mis mon doigt dans la main de Lila. Elle a arrêté de crier, elle m'a regardé et elle m'a souri.

«Tu t'es lavé les mains?» a aboyé ma mère.

Je me suis relevé pour aller prendre ma douche, et Lila s'est remise à hurler. J'ai fait vite. J'étais même pas essuyé et j'avais juste mes sweatspants quand je l'ai récupérée et que je l'ai enfin tenue dans mes bras. J'attendais ça depuis le matin.

Elle s'est calmée. Sa tête sentait bon, c'était comme une drogue, je voulais jamais qu'elle grandisse et qu'elle sente autre chose. Je l'imaginais petite fille, adolescente, adulte, sans vraiment avoir d'image précise, et j'avais envie de la serrer le plus fort que je pouvais pour qu'elle m'échappe jamais.

Ma mère m'a demandé si je voulais qu'elle me prépare quelque chose, j'ai répondu que j'avais déjà mangé.

«Y a vraiment juste toi qui peux la consoler.» Elle a souri sans les yeux et elle a ajouté: «Elle est aussi ingrate que toi, les chiens font pas des chats», avant d'aller se coucher.

Karine est rentrée un peu après. Elle s'est installée devant la télé après nous avoir fait deux bisous rapides qui goûtaient rien. Je suis allé la rejoindre avec le bébé qui s'était endormi dans mes bras. Les yeux perdus dans *Décore ta vie,* d'une voix qui goûtait rien non plus, Karine m'a lâché:

— Ta mère, quand elle parle au kid, elle dit «maman va faire ci, maman va faire ça...»

— Parce qu'elle veut que tu fasses plus d'affaires? Je comprends pas.

— Non non... elle dit «maman», mais elle parle d'elle. Elle dit pas «grand-maman».

— Crisse. C'est vraiment sick. Je suis désolé. Mais on va partir bientôt, je te promets. Gary m'a dit que j'étais sur la bonne voie pour devenir assistant-gérant... On va pouvoir partir en appartement dans pas long. Je suis désolé, babe. Pis en attendant, je vais demander à ma mère d'arrêter de faire ça.

Karine a soupiré «ostie que c'est laitte» en éteignant la TV, elle s'est levée, et avant de descendre au sous-sol, elle m'a regardé froidement:

«Laisse faire.»

Comme la fille m'a demandé d'attendre pour nettoyer ma plaie à l'œil, j'attends. C'est vrai que je shake, mais me semble que pour se crisser un coton sur le front, ça prend pas le doigté d'un neurochirurgien. Anyway.

Elle arrive de la cuisine en me disant que les pâtes cuisent, pis qu'elle espère que j'ai faim parce qu'elle en fait toujours trop. J'ai pas le temps de répondre que j'ai pas full le goût de manger qu'elle est assise en avant de moi et qu'elle me regarde en fronçant les sourcils.

— Ça s'est rouvert, qu'elle m'apprend.

— C'est quoi ton nom?

— Pareil que tantôt. Gabrielle.

Elle presse une ouate sur mon sourcil, et ça chauffe alors que ça chauffait plus. J'ai un léger mouvement de recul. Elle nettoie ça bien, doucement, sans faire trop mal. Elle a un autre trou dans ses jeans, au niveau de la cuisse.

«Regarde par en haut.»

Je fais ce qu'elle me dit, mais j'aimais mieux regarder son trou de jeans que le ventilateur du plafond. Elle continue de me taponner le front. L'air de rien, comme si c'était pas une question importante, elle me demande:

«C'est qui Lila?»

Je regarde le ventilateur, mais pareil, une larme coule de chacun de mes yeux. J'écarquille pour les faire sécher, j'espère qu'elle va rien remarquer. Ça fonctionne pas.

«Ça fait-tu si mal que ça?»

Je réponds pas.

Parce que oui.

J'ai six ans et je viens de prendre une débarque à vélo. Je suis assis sur la table de la cuisine, le genou en sang. Ma mère presse une ouate sur mon bobo, et ça chauffe alors que ça chauffait plus. J'essaye de faire une face sérieuse pour pas brailler, mais ça marche pas full. Une larme tombe drette dans ma plaie.

Ma mère a les sourcils froncés. Elle est fâchée parce qu'elle m'avait dit de pas essayer de rouler sans tenir mon guidon, que j'allais me blesser.

— T'es fâchée ? que je lui demande d'une petite voix.

— Mais non je suis pas fâchée, c'est rien que quand t'as mal, ça me fait mal aussi.

Je regarde en l'air, mais une larme tombe sur mon autre genou, puis une deuxième, et une troisième. Plic plic plic.

Ma mère souffle sur le bobo, met un pansement et donne un bec dessus.

J'ai plus mal.

J'ai plus trop l'occasion de manger des vrais repas. Genre cuisinés par quelqu'un juste pour moi, pas pour moi pis cinquante autres gars. Et qui goûtent pas la marde. Parce que c'est sûr que quand t'as faim, t'es pas trop regardant, mais pareil. Quand ça goûte la marde, ça goûte la marde.

Là c'est bon. C'en est même weird, parce que la fille – Gabrielle – a pas une face à cuisiner. Elle fait pas femme de maison des fifties, mettons. Ça me vient pas de nulle part, ce préjugé-là, disons que vu l'état de son char aussi en ordre que le bac de recyclage d'un resto... Je m'attendais plus à ce qu'elle commande une pizz ou de l'indien pis qu'on mange avec les ustensiles en plastique parce que ça lui tente pas de laver la vaisselle ou qu'y a pus rien de propre anyway. C'est p'têt' pour ça qu'elle est pas gossée de partager l'appart de son cousin avec un gars de la rue pis son chien. Elle a pas peur qu'ils lui volent de quoi, ses affaires à elle doivent tenir dans deux sacs de voyage pis deux trois boîtes de déménagement, anyway.

«C'est bon», que je lui dis.

Gabrielle relève la tête et elle me fait un sourire aussi fort que si je venais de lui donner mon ticket gagnant de Gagnant à vie. Elle est assise par terre, et moi, sur le canapé. Je me sens un peu mal, mais apparence qu'elle mange tout le temps de même, pis que ça la dérange pas. En voulant m'asseoir par terre moi avec, pour être poli, j'accroche la table basse qui manque de sacrer le camp. C'est deux palettes empilées ensemble avec une planche par au-dessus.

— C'est bien pensé, que je lui dis.

— Ouais... Je sais pas combien de temps je vais rester ici. Je sais pas encore comment je vais m'arranger.

— Tu sais pas grand-chose, en fait.

Je souris. Elle hausse les épaules en souriant elle aussi. Mais un sourire triste.

Lila me demandait pas souvent c'était quoi le deal avec sa mère. Elle m'en avait parlé une couple de fois, quand elle est entrée en prématernelle et une ou deux autres fois après ça, autour de la fête des Mères. Je pouvais pas lui dire la vérité, je voulais pas. Karine appelait de temps en temps depuis qu'on habitait juste tous les deux, Lila et moi. Au début, je croyais que c'était pour prendre des nouvelles, je lui demandais de revenir, je lui envoyais de l'argent pour l'autobus, mais l'argent, elle le dépensait en dope, alors elle arrivait jamais. Fait que je me suis fatigué d'être con. La dernière fois, je lui ai demandé de plus téléphoner, de nous oublier. «Lila pense que t'es morte», je lui ai dit. Y a eu un silence au bout du fil, et après ça, elle avait la voix qui shakait. Je pouvais pas faire ça, c'était sa fille à elle avec. J'ai répété: «Elle pense que t'es morte», pis j'ai raccroché.

Mais la vérité, c'est que j'ai jamais eu le courage de faire de ma fille une orpheline. Alors quand Lila me demandait pourquoi elle avait pas de mère, où elle était, et si elle allait revenir, j'essayais de me croire quand je lui répondais.

— Ta maman, elle t'aimait très très très fort. Mais quand t'es née, elle était très fatiguée. Alors elle a dû partir loin loin pour se reposer, mais elle est tombée malade.

— Pis elle est morte?

— Non, elle est juste... vraiment malade.

— Elle va mourir?

— Je sais pas, bébé.

— Est-ce qu'on va aller la voir?

— Je sais pas. On verra.

— Hum... Est-ce qu'on peut avoir un chien, d'abord?

Douloureusement ironique qu'à ce moment-là, pendant qu'elle se retournait sur un dix cennes, elle avait jamais autant ressemblé à sa mère.

« Ça fait longtemps que t'es dans la rue ? »

Je hausse les épaules. Je sais pas pourquoi, soudainement, j'ai envie de parler. Normalement, j'ai jamais besoin. Sam sait toujours ce que je pense, ça lui prend pas un résumé des épisodes précédents. Elle est mon troisième tiers. C'est elle qui me tient en vie, même si j'ai pus le goût et qu'y a même des jours où j'y arrive pas. Là, Gabrielle vient de me servir des crisses de bonnes pâtes, avec de la sauce et tout, je peux comme pas pas lui répondre. Je voudrais lui parler de Lila, lui dire comment c'était le fun, comment je l'aimais pis comment je l'ai perdue. Combien elle me manque et combien ça fait mal. J'espère encore la revoir, des fois. J'espère encore qu'elle va revenir, et que ça va être comme avant, même si y a plus rien qui se peut. Je devrais arrêter de fuir et me rendre à l'évidence qu'on sera plus jamais tous les trois.

J'ai envie de mettre ma tête sur tes genoux, pis que tu me caresses les cheveux jusqu'à ce que je m'endorme ou jusqu'à ce que je meure.

– Mathieu ? Ça fait longtemps que t'es dans la rue ?

– Un boutte.

On habitait sur Saint-Denis juste en avant du viaduc, Lila, Sam pis moi. Au début, évidemment, c'était rien que la kid et moi. J'étais parti de chez ma mère quelques mois après le départ de Karine à Halifax. J'espérais que Karine allait revenir quand elle allait voir qu'on s'en sortait pas mal, tous les deux. Sauf qu'on s'en sortait pas tant que ça.

J'avais trouvé un appart meublé dans le bloc le plus dégueulasse que tu peux trouver dans ce coin-là. Un immeuble un peu BS avec des vieux qui puaient la pisse, des familles d'immigrés pis des filles qui avaient l'air de putes. Mais c'était pas grave, c'était chez nous. Pis tout ce monde-là, c'était p'têt' pas la crème de la société, mais ils étaient ben d'adon. Ç'avait pas pris une semaine que la dame du dessous, madame Hammoudi, était venue se présenter et nous porter un reste de genre de légumes fourrés, elle appelait ça la dolma. Elle nous en a fait assez souvent que, quand elle s'est mise à manger solide, Lila appelait de même tout ce qu'elle se crissait dans la gueule. Madame Hammoudi (Lila l'appelait Mounia, par son prénom) était veuve, et elle avait une fille qui habitait en France avec son mari et leurs enfants. Quand elle en parlait, ça la faisait pleurer, et moi je pouvais pas imaginer ce que ça faisait d'être loin de ton kid, même quand elle est assez vieille pour en avoir à elle.

J'aurais dû la croire quand elle me conseillait de faire une prière, histoire que ça m'arrive jamais.

Anyway.

Madame Hammoudi avait personne de qui s'occuper depuis le départ de sa fille et la mort de son mari, elle travaillait pas, alors elle avait beaucoup trop de temps pour penser, qu'elle disait. Ça fait que c'était elle qui gardait Lila. Elle voulait pas que je lui donne d'argent ni rien, mais parfois elle me demandait de porter un meuble qu'elle avait ramassé sur le bord de la rue jusqu'à chez elle, ou de réparer de quoi. J'avais jamais manié ne serait-ce qu'un tournevis, fait que j'appelais le propriétaire, il me disait qu'il allait passer, il passait jamais, mais Mounia était contente pareil que j'aie essayé, et je repartais de chez elle avec une tonne de bouffe que sa sœur ou son beau-frère lui apportait de chez Costco. J'ai jamais su comment elle faisait pour vivre, avec quel argent, mais même si elle a jamais eu l'air de manquer de rien, elle était généreuse comme les gens qui ont mangé de la misère pendant un crisse de bout et qui veulent partager avec le monde dès qu'ils ont de quoi.

En attendant de déménager pis de trouver de quoi d'acceptable, j'avais fait ma chambre dans la chambre et j'avais aménagé un coin pas si pire pour Lila dans le salon. Tout ça était supposé être temporaire, le temps que je trouve une vraie job avec un salaire fixe et des avantages sociaux pis tout. Le temps que Karine revienne, et qu'on puisse avoir une vie de famille normale tous les trois.

On est restés là six ans.

On parle plus depuis un petit bout, Gabrielle et moi. Je sais même plus c'était le tour de qui de dire de quoi. C'est pas un silence malsain, c'est un silence où on pense chacun à nos propres affaires. Avec respect. C'est le genre de silence que si on avait fourré et qu'on s'aimait, elle me demanderait à quoi je pense avant que j'ose lui poser moi-même la question.

Elle est toujours assise par terre, en Indien, le dos un peu courbé. Elle est placée entre moi et une lampe posée sur un carton avec marqué cuisine dessus. La lumière enflamme ses cheveux, on dirait presque qu'elle est rousse.

J'ai fourré rien qu'avec une seule fille, dans ma vie. J'ai envie de lui dire ça. Je saurais pas comment faire, je saurais pas comment la toucher. J'aurais envie de m'excuser.

Gabrielle sort de ses pensées, p'têt' parce qu'elle se rend compte que je la fixe de façon weird et creepy. Elle bouge sa tête, et la lumière qu'elle cachait me revient dans face, ça me fait des petits points noirs devant les yeux. Je suis pas habitué de boire. Tout est un peu hazy. Je laisse ma tête aller où elle veut.

J'imagine Lila chez sa mère, qui s'est mise avec un gars de je sais pas où, genre du Saguenay ou d'Abitibi. Le gars a un grand jardin pis une job steady, Lila est mieux là-bas que chez moi. Ça m'arrache le cœur qu'elle soit si loin, mais quand je lui parle au téléphone et que j'entends son petit «allo» quand elle prend le combiné, ça file un peu comme le jour de sa naissance, à chaque fois. Quand on raccroche, c'est vide que le tabarnak et triste à en crever, mais y a toujours l'espoir de la prochaine fois, l'espoir de lui parler encore, de récolter assez de sous pour aller la voir ou que Karine vienne me la porter pour les vacances.

Les vacances. On est tous les trois à nouveau, pour une semaine. Sam aussi a l'impression de revivre. Il faut qu'on se rende à l'évidence, par exemple: Lila est rendue trop grande pour monter sur son dos, mais on a du fun pareil. La première nuit, on dort tous les trois dans mon lit, mais les filles prennent tellement de place que je finis couché plié en deux sur le sofa avec mon hoodie comme couverte. Je m'endors pas tout de suite, pas parce que je suis pas bien, mais parce que je veux faire le plein de la respiration de ma fille et de son petit nez qui siffle une fois sur deux, avant qu'elle reparte chez sa mère. Elle me raconte comment c'est, là-bas. Elle me parle de ses amis, de ses profs, de sa mère. Je lui demande comment il est, le nouveau chum. Elle reste floue, pour pas me faire de peine. Elle dit juste «correc'» en haussant les épaules avant de changer de sujet.

Je désnappe quand Gabrielle me tend une bière. Je la fixe un bout. La bière, pas Gabrielle. L'étiquette de la Tremblay, je la connais, mais on dirait que là, j'ai le goût de l'étudier ben comme faut, pour me souvenir. C'est le nom de Dave, ça: Tremblay. Il faisait tout le temps la joke «Eille, c'est ma bière!» en se trouvant ben drôle. Je souris en coin, pis sans que je puisse le contrôler, je lance:

«Lila, c'est ma fille.»

Je sais pas si c'était destiné à Gabrielle ou à moi. Whatever, rendu là.

«T'as une fille? Elle est où? Avec sa mère?»

Je réponds pas tout de suite. Je réfléchis. Je finis par dire oui. En fait, je dis pas oui, je dis ouain.

Elle pose plein d'autres questions, mais je l'écoute plus vraiment. J'imagine Lila et Karine. Les choses qu'elles sont en train de faire. Même s'il est tard, elles doivent pas être en train de dormir. Je veux pas imaginer qu'elles sont juste en train de dormir.

Ça fait vraiment longtemps que j'ai pas été tout seul, tellement que j'ai l'impression de l'avoir jamais vraiment été. Surtout pas depuis que j'ai perdu Lila. Je sais exactement combien de jours ça fait, parce que chaque jour, je compte et je me dis que je devrais aller la voir.

Mais je le fais pas.

Je me dis qu'un jour je serai p'têt' moins triste, qu'un jour j'aurai trié toutes les affaires que j'avais à lui dire, et qu'un jour je pourrai me présenter devant elle, et certainement repartir encore plus loser, minable pis coupable qu'avant, parce que ce sera trop tard. Sam aussi s'ennuie d'elle. Je le sais, elle est comme moi. Parfois, elle s'arrête devant la grille d'une cour de récréation, le nez en l'air, pis elle la cherche. Mais Lila est jamais là. C'est jamais elle. C'est toujours une petite blonde avec la même voix. Qui met les mêmes accents sur les mots, qui fait la même musique quand elle court, parfois c'est juste un feeling, même pas une petite blonde. Juste un kid qui envoie tellement d'amour à l'univers que ça éclabousse partout, simplement parce qu'il rit, qu'il prend la main de sa mère ou qu'il caresse la tête de Sam... mais c'est jamais elle.

J'ai jamais été seul avec l'absence de Lila, sans mon chien pour m'aider à porter le vide, et avant ça, Lila était là, comme si elle l'avait toujours été. Elle est arrivée comme une évidence. Quand elle est venue au monde, j'ai oublié qui j'étais avant elle. J'aurais aimé dire à mon père qu'il avait raison. J'aurais aimé lui dire merci et je me disais que je devrais aller le voir. Mais je le faisais pas.

C'est sûr qu'au début, on a rushé, Lila et moi. Enfin moi, j'ai rushé. Elle, elle passait ses journées à se balader dans les bras d'une madame algérienne. Souvent je l'enviais.

Parfois, j'avais envie d'appeler ma mère. De lui dire qu'elle avait raison, que je m'en sortais pas, que c'était trop dur, que j'avais besoin d'aide. Que je voulais revenir. Je sais qu'elle nous aurait repris et que tout aurait été plus facile. J'aurais p'têt' même pu retourner aux études pis faire de quoi de ma vie. Mais je l'ai jamais fait.

J'étais un peu parti sur un coup de tête, mais pas vraiment. Mettons que c'était dans l'air depuis la mort de mon père. J'avais compris quelque chose que j'étais plus capable de décomprendre, au sujet de ma mère pis de lui, de ma mère pis de moi... de ma mère tout court, mettons. Ç'avait fait un genre de «ding» dans ma tête, comme quand j'étais petit et que j'écoutais une histoire en CD et que la cloche m'annonçait que je devais tourner la page du livre pour que l'histoire continue.

Karine parlait tout le temps dans le dos de ma mère. Le plus souvent, elle la traitait de folle. Mais avant de partir, quand je l'ai amenée à l'arrêt de bus, elle m'a dit:

— Toi aussi tu devrais partir. Ta mère...

— Je sais. Elle est folle.

Karine avait pris un air sérieux, full sincère. Ce qu'elle s'en allait pour dire, elle était allée le chercher profond. On était rendus au-dessus du viaduc, pis elle regardait au loin. Malgré le bruit des voitures qui passaient en dessous, ç'a résonné dans tout mon corps quand elle a continué:

«Non, non... elle est pas folle. Elle est méchante.»

J'avais trop d'affaires à penser sur le chemin du retour. La mise en garde de Karine m'était sortie de la tête, c'était pas important, j'avais trop mal. Ma blonde se poussait malgré que c'était la seule fille que j'avais aimée, la seule que j'aimerais jamais. Elle se poussait malgré qu'elle était la mère de mon kid. Je l'aimais, fait que j'essayais de pas l'haïr.

Anyway. Ç'a pris quelques mois. Ma mère se cachait même plus pour dire «maman» au lieu de «grand-maman» quand elle s'adressait à Lila. Même devant moi. Je lui ai répété plein de fois, pis à un moment j'ai perdu le courage d'argumenter avec pour lui rappeler que sa mère, c'était Karine, pis pas elle. Quand on était tous les deux, le bébé et moi, je lui parlais de sa vraie maman, je lui disais qu'elle allait revenir quand elle irait mieux, qu'elle l'aimait fort et qu'elle verrait, qu'on finirait ensemble tous les trois et qu'on serait gras dur. Pis même que si elle venait qu'à pas revenir, on serait bien pareil, que je l'abandonnerais jamais pis que je laisserais personne me la prendre.

Je lui parlais de son grand-papa, aussi. Parfois, j'allais m'asseoir dans la Caddy avec le bébé dans les bras. J'aurais aimé la conduire quelque part, l'amener faire un tour de char, mais j'avais toujours pas mon permis. J'avais pas full d'anecdotes à raconter, alors j'imaginais ce que j'aurais aimé qu'on fasse, lui pis moi, si sa grand-maman nous avait laissés faire. Lila s'en crissait, mais moi j'aimais ça. Je me disais que p'têt' mon père nous regardait, p'têt' même qu'il était assis avec nous dans le char, pis qu'il était fier de moi. Et qu'il savait, enfin, que je l'aimais.

Un soir, je suis rentré de la job plus tard que prévu. J'avais fini par avoir le poste d'assistant-gérant à La Belle Province. J'étais content. J'avais hâte de l'annoncer à ma mère, à Karine au téléphone, pis surtout à Lila. «Ton père, ce sera pas un loser, tu vas voir, bébé.»

Je suis rentré, j'ai pris une douche vite fait pour pas me faire dire que je puais pis que j'étais sale, et je suis allé rejoindre ma mère et Lila dans la cuisine.

«Maman va préparer le biberon et Mathieu va aller te mettre au lit», que ma mère a babillé à ma fille quand je suis arrivé. «Mathieu va aller te mettre au lit.»

J'avais des fourmis dans les membres, dans les mains, dans les doigts. Pendant une seconde, p'têt' deux, j'ai cherché quelque chose pour tuer ma mère avec. Un couteau, une chaise, la planche à découper...

J'ai retiré le bébé de sa chaise et je l'ai prise dans mes bras. C'est sûr qu'elle m'avait manqué, toute la journée, mais il fallait surtout que je la tienne pour avoir les bras pris.

Je pouvais pas parler. Si j'avais ouvert la bouche, j'aurais hurlé. Toute ma rage serait sortie, comme un animal sauvage pogné dans un coin, qui te saute dessus avec tout ce qu'il a pour sauver sa vie. Ç'aurait pas été beau.

Comme d'habitude, ma mère avait aucune idée de ce qui se passait dans ma tête. Elle vivait ses affaires de son côté comme une coquille de noix qui flotte dans un évier. Je sais pas pourquoi j'avais cette image-là en tête, mais c'est ça pareil. Sur le ton de la conversation, elle m'a annoncé que la garderie où j'avais réservé une place avait appelé et qu'elle leur avait dit qu'ils pouvaient la donner à quelqu'un d'autre, qu'on en avait plus besoin. Elle s'est approchée de nous. J'ai eu un léger mouvement de recul, mais elle s'en est pas rendu compte. Elle a mis sa face à deux pouces de celle de ma fille et elle lui a dit, en lui jasant comme à une demeurée: «On va pas laisser des étrangers s'occuper du bébé alors que maman est là.» Lila lui a souri. «Non non non, on va pas faire ça. On va rester avec maman. Oui oui oui...» Lila s'est mise à rire franchement et elle a tendu ses bras vers ma mère.

Je l'ai reposée dans sa chaise haute, elle s'est mise à pleurer. Je crois que j'ai titubé jusqu'à ma chambre pour faire mon sac. Tout ce dont je me souviens après, c'est nos affaires sur le banc de la gare, et en arrière, la vraie vie devant moi.

Sam, c'était le barrage pour empêcher les souvenirs qui pouvaient me noyer de passer, pis elle est plus là.

Je me plais à imaginer qu'elle s'est tannée de moi, qu'elle s'est fatiguée de tout porter sur ses épaules, et qu'elle est allée rejoindre sa petite maîtresse. Elle a p'têt' pas eu si long que ça à marcher. Elle s'est p'têt' juste endormie.

Beyond the door there's peace I'm sure
And I know there'll be no more tears in heaven

Je suis pas capable de retenir mes larmes parce qu'elles arrivent sans prévenir. Je suis pas capable de les cacher non plus. Tu voulais savoir, Gabrielle.

Be careful what you wish for.

Quand la mère de Karine m'a téléphoné pour m'annoncer qu'elle était morte, je me suis demandé si je devais le dire à Lila et je l'ai pas fait. Elle avait cinq ans. Ça faisait quelques mois qu'elle m'avait pas parlé de sa mère. J'espérais p'têt' qu'elle aurait oublié, qu'elle se serait fait une raison. Je savais pas quoi faire avec ça. Les dernières nouvelles que j'avais de Karine, c'était par Mélissa. Elle avait sugar-coaté l'affaire, mais j'avais lu entre les lignes que Karine allait pas bien. Le crack, c'est ça que ça fait. Je voulais plus lui parler directement, et à chaque fois que je voyais un numéro en 902, je répondais juste pas. J'avais pas le courage de refuser une autre fois de lui envoyer de l'argent, pas le goût de me retrouver face à son incohérence, à des insultes mêlées à des déclarations, à des reproches de pas l'avoir aimée assez, de lui avoir volé sa fille. D'avoir menti.

J'étais à la job quand j'ai reçu le coup de fil de sa mère, donc. Ça devait être Dave qui lui avait donné le numéro. Elle était triste, évidemment, mais elle se doutait bien que le pire allait finir par arriver. Elle a demandé si je pouvais venir les voir, avec Lila. J'avais pas vraiment le goût d'y aller, alors pour une fois, mon boss tombait bien. Il me payait pas pour passer des appels personnels pis si je raccrochais pas tout de suite, j'avais pus de job.

— ... Bon ben madame Lacroix... je dois y aller.

— Oui oui, Mathieu. Mais si tu veux venir... penses-y. Ça nous ferait plaisir de voir la petite.

— Je dois y aller. Je suis désolé. Pour Karine. Et pour vous. Je suis désolé.

J'ai raccroché.

Mon boss était toujours debout à côté de moi, à me fixer, à attendre pour me donner toute la marde possible. Je haïssais le dude pour mourir, et il me haïssait lui avec. Il avait quatre ou cinq kids, mais il avait jamais changé une couche, pis je suis certain que si tu lui aurais demandé leurs prénoms, vite de même, il se serait fourré. Si tu lui «avais». Anyway. Je me suis excusé, même si j'avais le goût de l'envoyer chier, de le frapper, de lui crisser la tête sous la soudeuse, je me suis excusé pareil et j'ai chanté dans ma tête la toune de Bruno Mars qui jouait tout le temps à la radio. Je pouvais pas me permettre de perdre cette job-là. Le gros crisse aurait pu me pisser dessus, fallait que je pense à mon kid. Lila voulait aller à l'école Élan l'année d'après, comme une petite fille avec qui elle avait jasé au parc à chiens, parce qu'elle espérait pouvoir y aller avec Sam puisque c'était une école alternative.

Mon boss continuait de me fixer:

— Pourquoi tu souris? C'est quoi qui te fait rire de même?

— Rien... je pense à ma fille.

I would catch a grenade for you

— Ouin. C'est pas mal juste à ça que tu penses. Quand tu dois pas partir plus tôt pour je sais pas quelle réunion, tu peux pas rentrer parce qu'elle est malade. Quand elle est pas malade, c'est encore une autre affaire. Si ça m'aurait pas dérangé avoir un employé pas à son affaire de même, j'aurais engagé une bonne femme...

Throw my hand on a blade for you

J'ai serré les dents.

— Je suis désolé. Ça arrivera plus.

I'd jump in front of a train for you

— Check. Tu manques plus une seule fois, pis quand t'es à shop, t'es à shop. C'tu clair?

J'ai hoché la tête et j'ai baissé les yeux.

You know I'd do anything for you.

Faut que je sorte. Faut que je respire. Je peux plus être comme ça en dedans trop longtemps. Je me lève.

— Y reste une place où j'ai pas cherché. Faut que j'y aille. Faut que j'y aille maintenant.

— OK. Mais il est tard, là. Tu veux que je vienne avec toi? C'est où?

— Je sais pas trop. Montréal-Nord, par là. On peut prendre ton char?

Gabrielle se lève et remet son coat. Une fraction de seconde, ses boucles d'oreilles reflètent la lumière et m'éblouissent. Je les avais pas remarquées avant.

J'ai en poche l'adresse que Poncho m'a donnée tantôt. Là où il m'a dit de pas aller. C'est là que je vais. C'est là qu'on va.

Sur la route, elle s'allume une cigarette. Elle plisse les yeux comme un cowboy, mais avec une craque de boules. Je file comme un Indien.

« Toi là... t'aimes plus les filles ou plus les gars? » que je lui demande pour faire diversion. Elle tire sur sa cigarette.

— Plus les gars.

— OK... pis... ça marche bien, tes affaires?

— Avec les gars?

— Ouais.

— Pas tant, non.

Je fais une face de *évidemment!,* celle que Sam me fait quand je mets ma tasse à change trop dans le milieu du trottoir pis que quelqu'un finit par la botter et que les pièces revolent partout. Gabrielle rigole pis elle me dit qu'il va falloir que je lui donne des trucs, parce que visiblement mes affaires à moi marchent pas mal mieux. Je cale ma je-sais-plus-combientième Tremblay que j'avais prise à emporter, pis je lui avoue: «J'ai fourré avec rien qu'une fille dans ma vie.»

Elle me regarde en souriant. Elle a pas l'air d'avoir pitié ou de trouver ça cave. Elle a pas l'air de trouver ça cute non plus, mais anyway, je m'en sacre.

«C'est surprenant, qu'elle me répond. En général, ça marche avec les filles, les yeux tristes.»

Montréal-Nord, le jour, c'est déprimant comme un bar de danseuses à la fermeture, mais la nuit, ça va. C'est presque beau comme un clip de rap, à des places. Un clip de rap québécois, mais pareil.

— Je suis jamais venue dans ce coin-là, dit Gabrielle. C'est pas un peu dangereux?

— Pas si tu deales pas avec les gangs de rue, je crois ben.

— Pis là, on s'en va faire quoi?

Je sais pas trop. C'est pas mon hood, c'est pas ma crowd. On pourrait penser que quand tu vis dans la rue tu sais te débrouiller partout, mais non. Y a des codes à respecter, et ils sont différents d'une place à l'autre.

Faut que tu saches quand fermer ta gueule, quand pas. Quand te battre, quand courir. Quel gars va sortir une lame, quel gars va sortir une bière. Y a des places où je vais juste pus jamais, comme le centre-ville. Y a trop de malades. Des vrais pis des faux qui finissent par devenir des vrais, et on sait jamais vraiment à qui on a à faire avant de se ramasser avec un marteau dans le front. Pis ça, c'est si tu te fais pas taser pour rien par la police. Dans la rue, tout le monde se connaît un peu. Y a des légendes, y a des histoires. Plus t'es proche de là où tu te tiens d'habitude, plus tu connais de monde. Et plus tu connais de monde, plus t'es safe.

Ici, je connais personne.

Gabrielle arrête l'auto.

— C'est là.

— Reste dans le char. Je vais pas être long.

Je peux comme pas lui demander de venir, c'est mes shits à moi. Même si elle a l'allure d'un trucker, c'est pas une fille de rue. Je suis certain qu'elle chassait l'ours avec son père avant que ses seins lui poussent, mais pareil...

J'avais prévu de faire plein d'affaires, avec Lila. Lui faire regarder plein de films, lui faire écouter plein de musique. Genre celle qui jouait quand sa mère m'a frenché pour la première fois dans le sous-sol et qu'elle m'avait fait une pipe juste après (mais j'y aurais pas conté ce bout-là). C'était *Get Me Away From Here, I'm Dying* de Belle and Sebastian. C'était Karine qui avait ramené le CD parce que ça la faisait penser à moi. J'aurais voulu voir sa petite face exploser d'étonnement quand elle aurait entendu pour la première fois «Luke, je suis ton père». Je pilais du cash pour qu'on aille voir l'océan pour vrai. Je voulais qu'on aille pique-niquer sur le bord du fleuve un samedi soir d'été, pour regarder les feux d'artifice. Je voulais la voir grandir, devenir une petite femme. Mais pas trop vite.

J'arrive à l'endroit exact où Poncho m'a dit de pas aller. Ç'a pourtant pas l'air dangereux. On dirait un coin de Laval, de Beauport ou de Joliette. C'est une maison comme celle où j'ai grandi, au milieu d'un quartier qui ressemble à celui où j'ai grandi. La rue est déserte. Y a des réverbères qui éclairent à tous les trente ou quarante pieds, mais celui en face de la maison où je sonne est brisé. Ça répond pas, mais j'entends japper dans le sous-sol, par la fenêtre entrebâillée. La barrière qui mène à la cour est pas très haute, je pourrais escalader le treillis pour aller voir par en arrière. Je fais signe à Gabrielle de rester dans l'auto, juste au cas où elle décide de m'accompagner dans mon idée de marde, pis je grimpe par la clôture. Une fois dans la cour, j'essaye de pas trop me faire voir. Je monte le deck jusqu'à la porte-patio. Elle est débarrée. Idée de marde fois mille. Je rentre.

J'ai pas fait trois pas dans la cuisine qu'un gros doberman apparaît à trois pieds de moi, tous crocs dehors. T'en vois pas beaucoup, de ces chiens-là, dans la rue. Mais un chien, c'est un chien. Je me mets à genoux, pis je regarde ailleurs. Dès que je bouge un peu, il se remet à grogner. Je me lèche les lèvres, je bâille... toutes les affaires que j'ai montrées à Lila pour qu'elle sache comment dealer avec un chien, quand on a adopté Sam. «Si elle cligne des yeux, si elle se lèche les babines, ça veut dire qu'elle veut que tu la laisses tranquille.» Mon manège a l'air d'avoir un peu d'effet sur le chien. Il s'est assis et il me regarde. C'est le moment que je devrais choisir pour reculer et partir sans demander mon reste. J'ai toujours le jerky que j'avais acheté ce matin pour Sam dans la poche de mon hoodie.

T'es pas sérieux, Mathieu? Tu vas quand même pas...

Ta gueule.

Je connais pas grand-chose à rien, dans vie, mais si y a une affaire que je sais, c'est qu'y faut pas arriver tout droit sur un chien qui te menace. Faut le contourner. Alors c'est ça que je fais. Je reste accroupi et je danse-des-canards my way à droite de la table de cuisine jusqu'en arrière du chien. Il est pas cave, il s'est relevé et il me regarde. Il grogne pus, par exemple. Sa queue bouge doucement. C'est une bonne affaire, ou pas. Soit il m'a accepté, soit il est à veille de m'arracher la jugulaire. Autant prendre une chance, rendu là. Je sors doucement le jerky de ma poche et je l'ouvre. La queue du chien remue de plus en plus vite. J'arrache un morceau de viande et je le lance en avant de lui. Il le gobe.

Dude, c'est bon, ça! T'en as encore? Je réponds au chien en lui tendant un autre bout de jerky, puis un autre, puis un autre. Je me lève, il grogne pour la forme. Un dernier morceau, et j'ai un ami pour la vie.

«T'es un peu nul, comme chien de garde, non?»

En avant de moi, la lueur venant d'un puits de lumière

inonde l'escalier qui mène vers le sous-sol, comme si la lune me montrait le chemin. Je descends jusqu'à ce que je me retrouve dans le noir complet en avant d'une porte. En dedans, ça pue le câlisse, la marde de chien, la pisse pis le pourri, on se croirait dans une ruelle du centre-ville pendant la Saint-Patrick. C'est seulement éclairé grâce à la lumière du dehors, alors je vois pas grand-chose, mais j'entends que les aboiements viennent du fond, en arrière d'une autre porte. C'est de là que vient l'odeur elle avec. J'appelle Sam. Ça aboie de plus en plus, mais je la reconnais pas. J'entre dans la pièce pareil. Je réussis à distinguer des dizaines de cages en métal empilées les unes sur les autres, certaines tellement petites que les chiens sont à peine capables de se lever dedans. Ils peuvent pas se tourner. Ils ont pas d'eau, ils ont pas de bouffe et même pas un bout de tissu pour se coucher dessus. Y en a qui me donnent leur patte quand je m'approche, y en a qui bougent leur queue. Y en a qui prennent même pas la peine de se lever. Y en a deux, je crois qu'ils sont morts. Je sais pas ce que je vais trouver encore derrière cette autre porte, dans le fond de la pièce. Je devrais même pas l'ouvrir. Je devrais pas.

C'est un genre de placard avec dedans trois boîtes en bois empilées les unes sur les autres, avec juste deux fentes chacune pour respirer. Elles sont à peine plus grandes qu'un tiroir de table de chevet, ça se peut pas qu'y ait un chien là-dedans. Je donne deux petits coups dessus avec mon index, et un minijappement me répond. Le même jappement que Sam faisait quand elle était bébé et que Lila lui marchait dessus sans faire exprès.

Je vomis.

C'est pas l'odeur, je peux juste pas dealer. Mon cerveau est pas capable de comprendre comment ça se peut, faire ça. Je tombe à genoux, pis je braille. Je répète «Sam, Sam, t'es où? Sam!» en me balançant comme un autiste, mais c'est incompréhensible.

Je sais pas combien de temps je reste là. La plupart des chiens ont arrêté de japper, mais ils recommencent tous d'un coup. Je suis ébloui par la lumière de phares qui envahit le sous-sol. Shit shit shit. Les phares s'éteignent, et, par la fenêtre qui donne sur le stationnement, j'aperçois un gars qui sort de son char pour rentrer dans la maison. Mon cœur va tellement vite que je sens même plus les battements. J'entends des pas et des pattes qui tournent sur le sol, en haut, dans la cuisine. Gabrielle chuchote mon nom, dehors. Une fois, deux fois, trois fois. Je me relève et je quitte les cages pour aller la rejoindre en espérant pouvoir m'extraire par la fenêtre entrebâillée. «Je vous laisse pas. Je reviens», que je dis aux chiens.

J'arrive tant bien que mal à me hisser et à ramper dans les plates-bandes jusqu'à ce que je sois hors de vue de l'intérieur de la maison. Gabrielle surgit, à moitié baissée, d'en arrière du muret qui sépare le gazon de l'asphalte. Elle chuchote:

— Qu'est-ce tu crissais, voyons donc!

— Y a plein de chiens, c'est dégueulasse.

— T'as pleuré?

– C'est dégueulasse.

– Sam est pas là?

Je fais non de la tête.

– Viens, faut qu'on s'en aille, alors.

– Mais y a genre... trente chiens. Je pensais pas que ça se pouvait.

– Faut qu'on s'en aille, Mathieu.

Elle me pointe du menton la lumière qui vient de s'allumer dans le sous-sol de la maison. Les aboiements reprennent de plus belle. On court vers la voiture et elle démarre en trombe.

Sur le chemin du retour, je dis rien. Gabrielle non plus.

Je me rejoue en boucle ce que je leur ai dit avant de partir. «Je vous laisse pas. Je reviens.»

– Pourquoi tu pleures?

– Elle me manque, t'as pas idée comment. C'est comme si on m'avait enlevé une partie de moi. Et toute la cicatrice est à vif. Mais le pire, c'est que c'est comme quand quelqu'un se fait amputer, tsé? Y paraît que tu sens encore ton membre pendant un crisse de bout. Ben c'est pareil. Je la sens encore.

– Sam, ça?

– Ouais... Sam aussi.

— Oui allo?

— Maman...

— Mathieu? C'est toi?

— Ouais... mom...

— Ça va? Qu'est-ce qui se passe mon grand? Ça fait tellement longtemps, mon Dieu! Lila va bien?

— Mom...

J'ai éclaté en sanglots. Je me suis effoiré la face sur le sofa. Sam essayait de relever ma jambe avec sa tête. Tout était sourd, j'entendais juste ma mère à l'autre bout du fil me demander où j'étais, pis qu'est-ce qui se passait. Elle sonnait pas fâchée que je me sois poussé sans donner de nouvelles, elle sonnait inquiète. Elle sonnait pas comme le monstre que j'avais laissé six ans avant. Je l'avais p'têt' inventé. Elle avait p'têt' changé. Je sais pas combien de temps ç'a duré, ses questions sans que je réponde. À un moment, je me souviens qu'elle a juste arrêté de parler et qu'à force de m'écouter brailler, elle s'est mise à pleurer elle avec. Quand j'ai fini par réussir à articuler de quoi, ç'a été: «Est morte, mom.»

Dans un souffle, elle a dit: «Oh, mon grand...» J'ai repleuré une shot. Pendant tout ce temps-là, elle attendait. La même attente que quand j'étais petit et que j'avais la gastro, pis qu'elle me caressait les cheveux en me tenant le seau pas loin d'un coup que je vomisse. La même maman qui pouvait tout soigner, tout réparer, tout arranger. C'est vrai que ça faisait tellement longtemps.

– T'es où, Mathieu? Je vais venir, dis moi où t'es.

– ...

– Mon grand, dis-moi où tu es. Je vais venir te chercher.

– Bye, m'man.

– Mathieu?

J'ai raccroché avant de lui laisser le temps de me dire qu'elle m'aimait. Je voulais plus jamais que ce soit confortable. Je voulais plus jamais être safe.

J'ai posé ma main sur la tête de Sam. Je voulais pas mourir non plus. Ç'aurait été trop doux.

Ça faisait depuis qu'on la connaissait que madame Hammoudi nous répétait qu'elle prévoyait aller rejoindre sa fille en France, bientôt. À force de l'entendre raconter la même histoire pendant cinq ans, j'ai fini par me dire que ça arriverait jamais. Si elle m'avait pas montré les photos de ses petits-enfants au fur et à mesure qu'elle les recevait, j'aurais fini par penser qu'elle s'inventait une famille parce qu'elle se sentait seule. Sauf qu'un jour, elle m'a demandé si je voulais récupérer des affaires de chez elle, des casseroles qu'elle pouvait pas apporter, des couvertures qu'elle allait racheter là-bas... Y a eu des sacs, des valises, y a eu son billet d'avion aimanté après son frigo, et le jour où madame Hammoudi est venue nous dire bye pour vrai.

Elle s'est mise à genoux et elle a serré Lila dans ses bras. Elle pleurait, mais ma fille bronchait pas. J'en avais parlé à Lila plusieurs fois, de la possibilité que Mounia s'en aille, pis je savais ce que ça lui faisait. Ça la fâchait. Elle lui en voulait beaucoup. J'avais essayé de lui expliquer que c'était normal que Mounia veuille retourner près de sa fille à elle, près de sa vraie famille, mais Lila voulait rien savoir. La dernière fois, elle était partie s'enfermer dans la salle de bain, le pas le plus lourd possible, et elle avait claqué la porte au nez de Sam qui la suivait toujours comme son ombre. Elle avait rouvert la porte trois secondes après en s'excusant: «Désolée, Sam, je le sais que TOI, tu partiras jamais. Allez viens-t'en!» pis elle avait refermé la porte.

P'têt' qu'une mère aurait su quoi faire. Moi j'ai fait des pâtes.

Bref, Lila se faisait coller par Mounia qui lui sanglotait des paroles réconfortantes dans le cou: «Tu vas me manquer, ma belle fleur, je vais penser à toi chaque minute de chaque journée. Yemma t'aime fort pour toute la vie», et je voyais à la face de ma fille qu'elle se forçait pour pas pleurer, elle voulait être tough, avoir besoin de personne à part son chien pis moi. Surtout son chien. Je trouvais pas ça cool et je voulais lui apprendre que c'était correct de compter sur les gens pis que tout le monde allait pas finir par l'abandonner dans la vie. Elle était trop petite pour penser de même. J'avais peur de la première fois où elle allait se faire domper, je priais pour que ça arrive jamais, qu'elle tombe pas amoureuse avant trente ans, mais j'envisageais d'acheter un poing américain pour l'occasion pareil.

Quand le taxi qui amenait madame Hammoudi à l'aéroport a disparu dans le trafic, Lila avait toujours pas pleuré. Moi oui, mais j'avais réussi à ce que ça paraisse pas trop. Assise sur le canapé, elle serrait les dents et elle regardait dans le vide. Je me doutais bien qu'il allait falloir que j'agisse. La fois d'avant, les pâtes au beurre avaient à peine fonctionné, pis c'était pas mal mon meilleur guess. Sam me regardait, pis elle pensait la même affaire *Dude! Fais de quoi!* Elle est allée rejoindre ma fille sur le canapé en se retournant vers moi une couple de fois, histoire de vérifier si je la suivais pour vrai. Je suis allé m'installer à côté d'elles. Lila fronçait les sourcils.

«Je sais qu'être fâchée ça fait moins mal qu'être triste, bébé. Mais c'est correct aussi, d'être triste.» Sam a levé un œil, l'air de dire *Pour vrai!? T'as rien trouvé de mieux?* mais j'ai continué pareil.

«Mais parfois ça fait du bien d'avoir de la peine... parce que... c'est comme un bain.»

Lila m'a regardé, l'air de me prendre pour un cave. J'ai continué sur ma comparaison parce que j'en avais pas d'autre.

— Ouais... ouais... la tristesse, c'est comme un bain. Si le bain est plein, y a rien d'autre qui peut rentrer dedans. Y a plus de place pour les bonnes choses. Pis mettons qu'y ait de bonnes choses qui réussissent à y entrer, elles sont diluées dans toute la tristesse, OK...? Comme de l'eau chaude dans de l'eau froide, quand tu prends ton bain. Faut vider la froide pour faire de la place pour la chaude. Tu comprends, bébé?

— Je pense, oui.

J'étais surpris, parce que moi-même, je m'étais perdu. J'ai continué.

«Mounia t'a pas abandonnée, elle est juste partie pour rejoindre sa fille, parce qu'elle a besoin de sa maman.»

Lila a froncé les sourcils le plus qu'elle pouvait, pour rester le plus fâchée possible, et elle a utilisé le reste de son énergie pour dire, d'un ton bourru: «Mais moi aussi, j'ai besoin.» Elle a éclaté en sanglots et s'est jetée dans mes bras. J'ai essayé de dire de quoi de rassurant, mais j'ai dû me mettre un pied dans la bouche parce qu'elle m'a repoussé pour aller pleurer dans les poils du chien. Je suis resté à côté d'elle pour lui caresser les cheveux, et elle a fini par s'endormir sur le ventre de Sam, plein de larmes, de bave et de morve. Le chien m'a regardé pour me dire qu'on était des pas si pires parents, pareil. C'était mon cue pour aller dans la cuisine me prendre une bière.

Alors que je me levais du sofa, Lila s'est relevée en sursaut et elle a dit:

— Papa? Je t'aime.

— Moi aussi, bébé. Je t'abandonnerai jamais.

— Moi non plus papa, je t'abandonnerai jamais.

Elle s'est recouchée sur Sam, qui lui a donné un coup de nez frouillé, et moi je suis allé m'ouvrir une Tremblay.

Gabrielle dort encore, je suis pas sûr de l'heure qu'il est. Faudrait qu'on parte dans pas long, mais ce serait dommage de la réveiller. Y a des œufs dans le frigo, des oranges dans un sac en plastique sur le comptoir, du café, du pain et du beurre de pinottes dans une armoire, du lait... Je pourrais faire des crêpes. Ça fait une vie que j'ai pas fait de crêpes.

Quand Gabrielle finit par émerger et me rejoindre dans la cuisine, elle a pas la face à laquelle je m'attendais. Elle s'assoit pas à table, les yeux dévorant déjà tout ce qui attend pour se faire manger. Elle reste dans le cadre de porte.

« Qu'est-ce tu fais là? »

Je fige comme un cave en avant du poêle avec ma louche dans la main. Je sais pas trop quoi répondre.

— Je voulais te faire plaisir.

— J'ai pas besoin que tu me fasses plaisir. J'ai pas besoin de toi.

— Je sais, c'était juste pour...

— Pour quoi?

L'atmosphère est rendue aussi lourde qu'un sac de ciment. Gabrielle est prête à me sauter dans face, comme un chat sauvage pogné dans un coin. C'est injustifié, pis ça me fâche.

— Voyons, crisse! Je le sais pas! Tu m'aides, fait que ça me tentait de faire de quoi pour toi!

— Mais je t'ai rien demandé.

Je balance la louche sur le comptoir, y a de la pâte à crêpes qui revole partout.

— Tabarnak, t'es une ostie de folle. Un gars peut pas juste avoir le goût d'être fin?

— Yeah right.

— Eille t'as de quoi de fucké dans tête. Penses-tu je fais ça pour te fourrer? Penses-tu que je te fais des façons pour me pousser avec tout ce que t'as moi avec?

C'était un peu un low blow, comme réplique, mais il est trop tard pour la dédire, pis anyway, she had it coming. Gabrielle inspire longtemps en regardant par terre.

«J'aimerais mieux que tu t'en ailles.»

Avec madame Hammoudi partie vivre en France, je savais plus trop quoi faire avec Lila quand je travaillais de nuit. Je m'étais mis chum avec Jade, la fille qui restait en face, mais comme elle «recevait des hommes», elle pouvait pas vraiment garder un kid. J'avais demandé à l'école s'ils connaîtraient pas quelqu'un, et ils m'avaient référé à la page Facebook des gardiennes averties. J'y avais trouvé une ado qui avait pas l'air d'une crackhead qui vendrait ma fille pour une shot pis qui chargeait pas trop cher. Comme je faisais treize piasses de l'heure à ma job, si on comptait le dix piasses que ça me coûtait de faire garder Lila, j'allais à la shop pour trois piasses de l'heure. C'était pas full motivant, mais ç'aurait été encore pire si j'avais perdu mon emploi. J'osais même pas l'imaginer. Quand t'as un flo, chaque scénario que tu te fais dans la tête finit obligatoirement en catastrophe. Si je perdais ma job, j'allais pas pouvoir payer le loyer ni la bouffe, la DPJ allait m'enlever Lila, elle serait dans une famille d'accueil ou un centre avec des orphelins, pis je pourrais juste la voir deux heures par semaine jusqu'à ce qu'elle ait dix-huit ans, et elle me haïrait parce que je l'aurais abandonnée. Ça, c'est si elle tombait pas enceinte à seize ans d'un vendeur de drogue qu'elle aurait rencontré à la cour pour les mineurs où elle se serait ramassée parce qu'elle aurait volé de quoi dans un magasin. Les kids que leurs parents ont eus tôt, comme Karine pis moi, ont je sais pas combien de chances de plus que les autres d'avoir des enfants avant l'âge normal. Depuis que j'avais lu ça sur Internet, ça me hantait. Je lui avais jasé contraception, drette après avoir fermé l'ordi, mais comme Lila avait quatre ans à ce moment-là, elle est partie brosser les poils de son toutou avec un peigne imaginaire, nous plantant là, moi pis mes inquiétudes.

Tout ça pour dire qu'il fallait pas que je perde ma job. Alors quand la gardienne avertie a choké sans m'avertir, je capotais pas à peu près. Elle m'avait laissé son numéro de téléphone. Je l'avais appelée, pas de réponse, je l'avais textée, je l'avais facebookée, je l'avais retextée... Elle avait fini par me répondre: «Jpx pu venir garder a soir.dsl», pis juste après un autre message avec un smiley triste.

— Pourquoi tu sacres, papa?

— Inquiète-toi pas bébé. Inquiète-toi pas.

— Tu vas être en retard au travail.

— Je sais. Mais inquiète-toi pas.

— Je m'inquiète pas.

Elle avait allumé la télé en espérant que j'oublierais que c'était l'heure du dodo. J'ai appelé mon boss pour lui dire que je pouvais pas rentrer à cause d'une urgence familiale. Il m'a répondu que si j'étais pas là dans trente minutes, je pourrais venir chercher mon quatre pour cent le lendemain.

J'ai raccroché pis je suis allé sacrer dans la cuisine.

— Je t'entends, papa! qu'elle m'a crié du salon.

— Pis moi j'entends la TV. Éteins ça!

Pour une fois, elle a pas insisté.

Dans la cuisine, j'avais une conversation avec moi-même où une partie de moi arrivait pas à croire que l'autre partie envisageait de laisser Lila toute seule pendant que les deux parties seraient au travail. Les deux avaient des bons arguments, fait que j'avais décidé de demander à ma fille de trancher.

«Bébé... la gardienne vient d'annuler. Y a personne pour te garder ce soir. Est-ce que tu penses que tu serais capable de rester toute seule? Juste ce soir?»

Elle a haussé les épaules et elle m'a répondu qu'elle était avec Sam et que, donc, elle était pas vraiment toute seule.

— T'es sûre?

— Oui je suis sûre. Mais est-ce que je peux dormir avec Sam dans mon lit?

— Hum. OK pour cette nuit, mais juste cette nuit.

— OK, on verra. Et si y a des voleurs qui essayent de rentrer elle va leur faire peur?

— Y a pas de voleurs qui vont essayer de rentrer, mais oui. Elle va aboyer et personne osera jamais rentrer. Pis si à un moment donné y a quoi que ce soit, tu peux aller cogner chez Jade, OK?

— OK.

Elle s'est installée dans le lit, a tapoté pour que Sam vienne la rejoindre, pis après elle s'est plainte que le chien prenait toute la place. Je lui ai dit que si elle préférait, Sam pouvait dormir dans son panier.

— Non non, c'est bon.

— Je te laisse pas, bébé, je reviens. Tu vas juste t'endormir, Sam est avec toi... puis demain matin, quand tu vas te réveiller, je vais être là, OK?

— OK. Mais tout va bien, papa. Inquiète-toi pas.

— Je sais, bébé. T'es courageuse.

Elle m'a serré dans ses bras, et on s'est dit je t'aime. J'ai fermé la porte d'entrée, elle m'a crié un autre «je t'aime, papa!» quand j'étais rendu dans le couloir.

Sur la route vers la job, j'ai voulu revirer de bord cent fois. Mais je l'ai pas fait.

Je sors de chez la fille un peu sonné. En marchant, j'ai de la misère à trouver mon équilibre. Pas juste parce que je suis lendemain de veille. Certainement pas à cause d'elle. Mais parce qu'il me manque mon chien du côté droit.

Quand j'ai fini mon shift, à six heures du matin, j'ai rushé jusqu'à l'autobus, mais je l'ai manqué de justesse. J'avais passé la nuit à me faire tous les scénarios possibles. Mettons qu'y ait eu un incendie, mettons qu'un voleur soit rentré pour vrai, mettons qu'elle se soit étouffée dans son sommeil? Quand elle venait de naître, je vérifiais aux dix minutes si elle respirait toujours parce que j'avais tout le temps peur qu'elle meure. Normalement, quand t'anticipes le pire, c'est jamais ça qui se passe. T'anticipes pour que ça paraisse moins pire si de quoi de poche arrive.

Quand j'ai approché de la porte d'entrée de chez nous, Sam a aboyé, mais le son venait de chez la voisine. Ma tête s'est mise à bourdonner. Jade a ouvert la porte. Elle avait les yeux bouffis et elle était blanche comme un drap. Sam est sortie en trombe pour tourner autour de moi comme une folle. La voisine m'a dit: «Mathieu, il s'est passé quelque chose. J'ai essayé d'appeler à ta job, mais t'étais déjà parti... Ils l'ont emmenée en ambulance...»

Lila avait voulu me faire un sandwich, parce que quand je rentre du shift de nuit, j'ai toujours faim.

Normalement, Mounia m'aurait préparé de quoi à manger que j'aurais juste eu à faire réchauffer, ou à manger frette à même le Tupperware, debout dans la cuisine. J'essayais toujours de pas faire de bruit, mais deux fois sur trois je réveillais Lila. Elle me souhaitait bonne nuit ou bon appétit d'une petite voix pleine de sommeil et elle se rendormait aussi sec. Madame Hammoudi partie, y avait plus personne pour me faire à manger, fait que ma fille a dû avoir l'idée de s'en occuper en se levant pour un pipi. La seule affaire qu'elle était capable de préparer, c'était des céréales. Parce qu'elle avait juste six ans, et qu'à cet âge-là, normalement, t'es pas supposée être toute seule chez vous. À cet âge-là, normalement, t'es pas supposée penser à t'occuper de faire à manger à ton père qui est parti en te laissant là. Parce que ton père, quand t'as six ans, il est supposé dealer avec toutes les shits pour que t'aies rien à gérer pis rien d'autre à penser que ce que tu vas construire avec tes Lego ou à quel petit garçon tu vas faire des misères le jour d'après.

Pour attraper les céréales, elle était montée sur le tabouret, comme elle l'avait fait des dizaines de fois en répondant *mais je fais attention* à mes interdictions. Elle avait glissé, ou perdu l'équilibre. Sa tête avait cogné sur la marche entre le salon et la cuisine, et elle était morte sur le coup, mais ça, je l'ai su seulement après, une fois rendu à l'hôpital. Elle avait pas souffert. Ça aussi, je l'ai su seulement après. La voisine s'est fait réveiller par Sam qui s'est mise à japper. Elle arrêtait juste pas de japper. Tellement que Jade a décidé d'aller toquer à la porte, pour savoir si tout allait bien. Les aboiements ont redoublé. Elle trouvait ça tellement weird qu'elle a décidé d'entrer avec la clé de spare que je lui avais donnée. Elle a crié, elle s'est mise à genoux à côté du corps de Lila. Jade savait qu'il fallait pas qu'elle la bouge. Elle a appelé le 911. Ils sont arrivés vite. Elle arrivait pas à me joindre au travail, je venais de partir, alors elle a décidé de rester sur place pour me prévenir.

J'arrêtais pas de demander: «Mais elle va bien?» Et Jade me répondait: «Il faut que t'ailles aux urgences, Mathieu. Je peux pas te dire. Je peux pas.»

J'ai espéré pendant tout le trajet jusqu'à l'hôpital. Elle s'était juste cassé le bras. P'têt' aussi une côte ou deux, mais rien de plus grave. P'têt' que la DPJ ferait une enquête sur moi parce que je l'avais laissée toute seule, mais ils me la prendraient pas, parce qu'ils verraient bien que je l'aimais plus que tout au monde et que je pourrais pas vivre sans elle.

Je pourrais pas vivre sans elle.

L'ambiance est drôle, à matin. Je sais pas si c'est moi ou si c'est le monde. Tout est lent, presque diffus. Ça file comme un dimanche même si on est samedi. Il est même pas midi, j'ai fait tous nos spots à Sam et moi, comme Poncho m'avait dit de faire, pis elle est à aucun. Sur le chemin entre chaque, je me dis: «Si elle est là, je trouve une job, je cherche un appart, pis je deale avec mes shits», mais à l'arrivée, je trouve qu'un vide qui donne le tournis.

Je vais marcher un peu. P'têt' que mes pas vont me guider jusqu'à elle.

J'étais jamais revenu au cimetière depuis la mort de mon père. Pis anyway, je me souviens pas trop de ce moment-là. C'est grand, je reconnais rien. Je vais me perdre, mais je continue de marcher pareil. Je laisse quelque chose me guider dans les allées, sans savoir quoi. Soudainement, je me sens compressé, comme si tout mon corps était dans un étau, comme si ma peau rétrécissait pour me faire disparaître. Je me retrouve devant une dalle en pierre avec son nom marqué dessus, en dessous, le nom de mon père, et encore en dessous, celui de ses parents, que j'ai jamais connus. Le soleil me chauffe les épaules à travers mon coat, si c'était pas de la couleur des arbres, on pourrait se croire en plein été. C'est vide et calme, tout autour, juste des morts partout en dessous, à perte de vue. Je suis le dernier soldat debout dans un champ de bataille. Content d'être en vie, mais pas trop sûr de comment je vais faire avec le restant de mes jours.

J'arrive pas à regarder le sol. J'ai le vertige. Lila est sous mes pieds, et une partie de moi a envie de creuser la terre pour aller la retrouver.

C'est la première fois que je viens la visiter.

Je me mets à genoux pour être plus proche, p'têt' pour qu'elle m'entende mieux. Je sais pas où elle est pour vrai. Ça peut pas être rien que ça. Elle peut pas juste être en train de pourrir dans la terre, elle doit être dans un ailleurs où elle peut courir pis apprendre à jouer de la guitare. J'ai aucune idée si je parle tout seul ou si elle m'entend.

Je sais rien.

«Bébé... hey. Je m'excuse de pas être venu te voir avant. C'était trop dur. C'est encore trop dur. Est-ce que Sam est avec toi? Je pensais p'têt' qu'elle serait là. Tsé, un peu comme dans le film, là... *Hatchi.* T'avais pleuré, pis moi aussi. Anyway. Je sais pas quoi te dire, bébé. Je suis désolé.»

J'explose sous la pression de presque deux ans de larmes accumulées. J'aimerais continuer de lui parler, mais je peux pas. Les mots sortent pas. Tout ce que je suis capable de dire, c'est: «Je m'excuse et je te demande pardon.» Même si je sais que je le mérite pas. J'ai plus la force de me tenir droit. Je sais pas combien de temps ça fait que je braille là, mais assez pour que je finisse la face dans le gazon humide, les deux bras en avant de moi, à baragouiner de quoi d'incompréhensible, comme un Arabe qui fait sa prière en avant de La Mecque. On avait vu un reportage, une fois, tu te souviens? On avait parlé de Dieu, après ça. J'étais pas trop certain d'adhérer au concept, toi oui. C'est encore une affaire que t'étais supposée comprendre quand tu serais devenue grande, t'aurais pu décider plus tard, si t'y croirais ou pas. Je sais pas si tu me vois, bébé, mais si tu me voyais, tu rirais certainement.

Je me relève. J'ai les genoux trempés et les mains pleines de terre. Probablement ma face aussi. J'essaye de me redonner un peu de contenance. Tu veux pas trop que ton kid te voie de même, c'est un plan pour qu'il perde le respect qu'il a pour toi.

«Fait que c'est ça. Tu sais, je crois que Sam s'est poussée parce qu'elle était tannée de moi. Moi aussi je suis tanné. C'est pas sa job de s'occuper de moi, c'était pas la tienne non plus. Je savais juste pas comment... J'ai fait de mon mieux, bébé. Pis là je file comme si mon mieux, il était mort avec toi. J'en ai pus. Je suis pus capable. Tu comprends? Est-ce que tu me pardonnes, bébé... pour tout? Est-ce que tu le sais, que je t'aime plus que tout pis que je vais continuer de t'aimer même si ça me rend fou? Lila?»

...

«Je m'excuse de pas être venu te voir avant.»

«Tu sais, Sam, je l'ai cherchée partout, pis je pense pas que je vais la retrouver. Tout le monde meurt tout le temps. Ton grand-père, ta mère... pis toi... Mais ça me fait plaisir que vous soyez tous ensemble, je te jure.»

«Vous êtes tous ensemble?»

...

«Je suis cave. Pendant une seconde j'ai espéré que t'allais me répondre.»

«Faut j'y aille, bébé. Je dois aller à la SPCA et à une autre place, voir si Sam serait pas là. Si elle est pas avec toi, c'est p'têt' là qu'elle est, tsé. P'têt' qu'elle m'attend. Si c'est ça, on va revenir te voir ensemble, je te promets. Ç'a jamais vraiment été mon chien à moi, anyway. Elle était faite pour toi, pis toi, pour elle. Tu lui manques à elle aussi, je le vois. Je le sais. Tu sais ce qu'on dit, que les chiens ils ont juste rien qu'un maître ? »

...

« Fait que c'est ça. Bye, bébé. Je t'aime. »

Je me suis poussé tellement vite et out of nowhere de chez la fille que j'ai même pas pris mes affaires avant de partir, je m'en rends compte maintenant.

J'y suis p'têt' allé un peu fort, tantôt, fait que je prévois que mon sac sera en train de m'attendre sur le palier, mais non. Je cogne à la porte. Elle m'ouvre et se mord l'intérieur de la bouche en me voyant. Je tousse un peu.

— Je viens juste récupérer mon stock.

— Ouais... t'es parti vite. Ça va?

Je réponds pas. J'ai p'têt' un peu l'air d'un zombie. Faudrait sûrement que je m'excuse, mais ça sort pas.

— Si tu veux, tu peux aller prendre une douche avant qu'on parte. Peut-être que ça te ferait du bien.

J'entre, toujours sans rien dire et je me dirige vers la salle de bain. Gabrielle expire par le nez avant de me dire d'une voix timide:

«Mathieu? Elles étaient bonnes, tes crêpes.»

Le feeling est weird. L'eau chaude qui me coule dessus, c'est comme si elle me lavait en dedans aussi. Comme si elle me faisait fondre. Ça me redonne le goût de brailler. De fatigue, mais je sais pas pourquoi pis c'est cave, surtout de soulagement.

— Tu veux que je t'attende dans la voiture, ou tu veux que je vienne avec toi?

— Je sais pas. P'têt' j'aimerais ça que tu viennes.

— OK.

Gabrielle défait sa ceinture, mais je garde la mienne.

«Je m'excuse, pour tantôt», je dis.

Gabrielle fronce les sourcils et hausse les épaules. Elle baisse la fenêtre et elle s'allume une cigarette, les yeux loin, au-delà de la haie de cèdres du stationnement et des immeubles en construction. Plusieurs fois, elle prend sa respiration pour dire de quoi, mais elle fait juste recracher sa fumée un peu plus fort.

L'auto se remplit de sa solitude, qui s'imbrique dans la mienne comme si elles s'étaient reconnues. On reste encore un peu là, le temps qu'elle finisse sa cigarette, et même encore un peu après. Lonely, mais à deux.

Elle jette son botch et remonte la vitre. Elle inspire et expire fort, on dirait Sam quand elle se secoue pour se sécher et qu'il lui reste presque plus une goutte d'eau dessus, après ça. En une seconde, la tristesse de Gabrielle retourne se cacher en emportant un tout petit peu de la mienne avec elle.

On rentre dans la SPCA. Je la connais, la place, parce que c'est là qu'on avait pris Sam, pis on était revenus en métro avec elle enveloppée dans une couverte, et tout le monde dans la rame voulait la flatter. J'avais jamais vu Lila plus heureuse. Je m'étais dit que ça valait totalement le deux cent cinquante piasses des frais d'adoption, au moins jusqu'à ce que Sam pisse pis chie à terre pour la cinquième fois. La dixième fois, j'avais questionné mon jugement d'avoir pris un chien, alors que j'étais déjà moyen capable de m'occuper de mon flo, pis rendu à un moment, j'avais conclu que j'étais mieux d'arrêter de compter, pis ç'a mieux été.

Y a personne à la réception, alors on reste debout pas loin du bureau en attendant que quelqu'un arrive. Une fille qui travaille là parle avec une dame et son kid. Il est weird, son kid. Il fixe le sol, la tête rentrée dans les épaules... il a pas l'air d'un vrai flo. Il est cute pareil. J'essaye d'écouter leur conversation, mais j'en entends juste des bouts.

Fille qui travaille là: «... ça peut prendre du temps, faut pas se décourager.»

Mère du kid weird: «Je sais... c'est ce que j'ai lu.»

Fille qui travaille là: «Mais c'est bien que vous blablablabla.»

Mère du kid weird: «... blablabla. On espérait vraiment beaucoup blablablabla.»

Les deux femmes regardent le petit. Il a pas bougé, il reste juste là, à fixer le sol. Il a l'air vraiment concentré sur de quoi de full compliqué, genre arrêter une bombe nucléaire avant qu'elle pète, ou un casse-tête de trente-deux mille pièces. Il est p'têt' autiste.

Fille qui travaille là: «... blablablabla... les enfants autistes blablabla parfois blablabla... lien particulier.»

Ben voilà.

La fille de la réception arrive finalement. Je m'accoude sur le comptoir pour pouvoir parler plus bas et pas déranger les deux dames qui parlent encore à côté.

«J'ai pris mon chien ici y a environ cinq ans, pis je l'ai perdue hier. Elle s'appelle Sam, elle a un collier rose, c'est un gros pitb...» La réceptionniste m'interrompt en levant son index, pis elle pogne le téléphone.

«Tu peux-tu m'amener la pit grise qui est arrivée hier, mais qu'on arrivait pas à rejoindre son maître? Il est là, là.»

J'aurais aimé qu'elle me prévienne avant, parce que j'ai dû me tenir à son comptoir pour pas tomber. Je me retourne vers Gabrielle pour voir si elle a entendu. Au sourire qu'elle fait, c'est pas mal sûr que oui. Je crie que j'y crois pas. J'ai l'air d'une matante à qui on révèle sa nouvelle salle à manger à *Décore ta vie*. Je dis merci à tout le monde et je répète que ça se peut pas. La fille de la réception a l'air ben contente elle avec. Tout le monde a l'air content, même les deux femmes qui se parlaient et le gars qui passe la moppe. Le p'tit gars s'en crisse, pis ça me donne envie de lui faire une colle, mais je le fais pas. Les autistes, à ce qui paraît, y en a qui aiment pas trop trop ça être collés. Et t'es pas supposé prendre le monde que tu connais pas dans tes bras anyway, fait que j'aurais certainement encore plus l'air d'un weirdo.

— Elle est là pour vrai? que je redemande à la fille au comptoir.

— Oui, on nous l'a amenée hier. On a scanné sa chip, mais le numéro de téléphone relié est pus bon.

— Crisse... j'en reviens pas. Est pas morte!

Sam arrive en remorquant un petit Asiatique qui a l'air ben fin et qui a l'air full content lui avec. Je me mets à genoux, et elle me saute dessus en me lichant la face comme si j'avais frenché un poulet rôti. Je la serre fort pis je lui demande où c'est qu'elle était, ostie, pis c'est quoi qu'elle a fait. Le petit Asiatique me tend la laisse:

— Elle est tellement fine qu'elle est devenue la mascotte des bénévoles une heure après être arrivée. Elle s'appelle comment?

— Sam.

— C'est un beau nom, ça.

Pendant que je discute avec le gars, en bonne mascotte, Sam s'en va dire allo à tout le monde. Elle pose même ses deux pattes sur le comptoir pour faire des tatas à la fille de l'accueil. Une vraie showgirl. Pis tout le monde est content, tout le monde la trouve cute, tout le monde veut lui dire allo, sauf le kid. Le kid s'en sacre, ça me rend triste. J'ai envie de le secouer, de lui dire: *Check ce qui se passe! Y a des belles affaires, dans la vie! Je viens de retrouver mon chien, dude! Tu me connais pas, mais c'est huge! Je pensais qu'elle était morte! Come on!*

Sam est pas mal moins polie que moi, les normes sociales s'appliquent pas aux chiens pareil qu'aux humains. Fait qu'avant que j'aie pu la retenir, elle va lui faire des façons et lui licher la face. Parce qu'elle aime ça, les enfants. Même les weirds. Surtout les weirds. Je crie après: «Sam, laisse-le!» et je m'excuse à sa mère. Elle dit que c'est pas grave. Son fils fixe toujours le sol, il a pas bougé malgré qu'une tonne d'amour et de bave vient de lui être déversée dessus. Elle a l'air triste, la dame. Et fatiguée. Elle salue la fille qui travaille là, parce que ses yeux se remplissent d'eau. Y a juste moi qui le vois parce qu'elle écarquille un peu, trois fois, et que je fais la même affaire quand ça m'arrive et que je veux pas que ça paraisse. Gabrielle flatte Sam, pis moi faut que je remplisse des papiers, ou whatever. Et surtout, je suis content. Je crois que je suis bien pour la première fois depuis un crisse de bout. J'ai pas l'impression d'être rien qu'une pelure sans rien en dedans. J'ai retrouvé Sam, mais ça file comme si j'avais retrouvé ma vie. Juste un peu. J'entends la grande porte vitrée s'ouvrir en arrière de moi, la clochette et la dame appeler son fils: «Allez viens, Tom.» Je me retourne pour vérifier que mon chien est bien là. Je tiens plus sa laisse, c'est Gabrielle qui l'a en main. C'est beau. Je vais pas la reperdre, elle va rester là. Le flo avance vers sa mère en regardant toujours le sol, et comme il passe devant le chien, il dit «Bye, Sam», d'une toute petite voix, presque comme un soupir, en bougeant les doigts dans un semblant de tata timide.

Sa mère se tourne vers la fille qui travaille là, puis vers lui. Elle tombe à genoux devant le petit:

«Qu'est-ce que t'as dit, Tom?»

Le gamin répond pas. Il fixe le sol. Je m'approche d'eux, et je me mets à genoux moi avec. Ç'a d'l'air que c'est la journée où je braille pis où je me mets à genoux. Tom fait pas attention à moi. Je pense qu'il compte des yeux les carreaux de céramique, mais je suis pas sûr. Ç'a l'air full important, j'ai pas le goût de le déranger. Mais je le fais pareil, même si je sais pas si lui parler donne de quoi. Ç'a d'l'air que c'est aussi la journée que je parle à quelqu'un pis que je sais pas si ça se rend.

«Salut, Tom. Je m'appelle Mathieu. Pis elle, tu la connais, c'est Sam. Est-ce que tu veux la flatter?»

La mère regarde la fille qui travaille là, pis moi, pis son fils. Elle lui répète ce que je lui ai demandé. Il répond toujours rien. Sam s'approche de nous, avec sa face qui dit *Bon, puisque vous suckez visiblement, je vais le faire moi-même.* Elle donne un coup de tête dans la main du petit, comme elle fait quand elle exige qu'on la flatte. Pis quand elle exige qu'on la flatte, t'as beau être un petit autiste, tu la flattes.

Mais non, ça marche pas, et elle se rend vite compte qu'il va falloir changer de technique. Fait qu'elle s'assoit collée contre lui, son dos appuyé contre sa cuisse, et elle lui dit, avec toutes les ondes de son corps:

Ça va bien aller, petit gars, comme elle me le fait à moi depuis deux ans. Même que c'est ce qui m'a tenu en vie.

La mère écarquille trois fois. Je crois qu'elle aussi, elle aurait besoin qu'un chien s'accote sur sa cuisse. Elle soupire, elle se relève et elle me regarde. Elle est résignée, c'est fucking triste. Quand ton enfant est pas mort, quand ton chien est pas perdu, y a toujours un espoir. Tu le vois juste pas, madame.

Gabrielle me tire par la manche et me pointe les doigts du petit qui s'ouvrent et qui se referment sur les poils de Sam. Quand sa mère s'en rend compte, elle essaye même plus d'écarquiller pour cacher ses larmes. Parce que les larmes de joie, ça dérange pas de les montrer. Elle a plus de voix, alors elle fait juste bouger les lèvres pour me dire merci. Gabrielle braille elle avec, et la fille qui travaille là aussi. Le petit Asiatique est pas ben badin non plus. On reste là, tous, devant ce qui est en train d'arriver devant nous, pendant un bon moment. Le petit Tom se tanne pas de flatter le chien comme il se tanne pas de compter les carreaux de céramique, ou whatever c'est quoi qu'il fait dans sa tête. Quand finalement il est l'heure pour eux de s'en aller, la mère me demande si on peut se revoir.

— Ouais... je suis souvent dans le coin de Masson, que je lui réponds.

— Vous avez pas un numéro de téléphone où je pourrais vous rejoindre?

— Ben... pas vraiment.

Gabrielle se mêle à la conversation pour lui donner le sien: «Vous pourrez le rejoindre à ce numéro-là.»

Je hausse les sourcils. «On s'arrangera», qu'elle ajoute comme pour m'expliquer.

Au moment de partir, Tom marmonne une nouvelle fois «Bye, Sam», pis cette fois-là avec, ç'a l'air d'un big deal.

Il doit vraiment pas parler souvent, le kid.

P'têt' qu'il a juste rien à dire. Ou p'têt' qu'il sait juste pas comment.

Bande sonore

1. Queen, « Bohemian Rhapsody », (Freddy Mercury), A Night at the Opera, EMI, 1975 (5'55)

2. Smashing Pumpkins, « Bullet with Butterfly Wings », (Billy Corgan), Mellon Collie and the Infinite Sadness, Virgin Records, 1995 (4'16)

3. Leonard Cohen, « Ballad of the Absent Mare », Recent Songs, Columbia, 1979 (6'26)

4. Leonard Cohen, « Famous Blue Raincoat », Songs of Love and Hate, Sony Music Canada, 1971 (5'11)

5. Jean Leloup, « Fourmis », Les fourmis, Audiogram, 1998 (6'20)

6. Jean Leloup, « Le Dôme », (Jean Leloup, Yves Desrosiers), Le Dôme, Audiogram, 1996 (4'34)

7. David Guetta, « Titanium », (Sia Furler, David Guetta, Giorgio Tuinfort, Nick Van De Wall), Nothing But the Beat, Universal, 2011 (4'05)

8. Avec pas d'casque, « Intuition #1 », (Stéphane Lafleur, Avec pas d'casque), Astronomie, Dare To Care Records, 2012 (4'09)

9. Eric Clapton, « Tears in Heaven », (Eric Clapton, Will Jennings), Rush (Bande sonore), Warner Bros Records, 1992 (4'30)

10. Bruno Mars, « Grenade », (Bruno Mars, Philip Lawrence, Ari Levine, Brody Brown, Claude Kelly, Andrew Wyatt), Doo-Wops & Hooligans, Warner Music, 2010 (3'42)

11. Belle and Sebastian, « Get Me Away From Here, I'm Dying », If You're Feeling Sinister, Jeepster Records, 1996 (3'24).

Remerciements

Le Cheval d'août remercie Marie Hélène Poitras
pour sa collaboration à la préface.

Et Daniel-London Canty en artiste photographe.

De la même autrice

Ceci n’est pas de l’amour, Poètes de brousse, 2016
Autour d’elle, Le Cheval d’août, 2016
Et au pire, on se mariera, Noir sur Blanc, (France), 2014
Et au pire, on se mariera, La Mèche, 2011
Lucie le chien, Septentrion, 2006

Sophie Bienvenu

Sophie Bienvenu est autrice, poète et scénariste. Son premier roman, *Et au pire, on se mariera*, est paru à La Mèche en 2011, puis en 2014 aux éditions Noir sur Blanc (France). Il a valu à l'autrice le prix des Arcades de Bologne en 2013, le Prix du premier roman de Chambéry 2015, et a été finaliste de l'édition 2013 du Prix littéraire des collégiens. Adapté au théâtre par la compagnie montréalaise ExLibris en 2014, *Et au pire, on se mariera* a été porté au grand écran par la réalisatrice Léa Pool en 2017, dans une coscénarisation de Sophie Bienvenu.

Chercher Sam, son deuxième roman (2014, Le Cheval d'août), a fait deux fois partie de la liste des 100 Incontournables d'Ici Radio-Canada et est en cours de traduction chez Talonbooks au Canada et Ullstein-Verlag en Allemagne.

Son troisième roman, *Autour d'elle* (2016, Le Cheval d'août), a été finaliste au Prix des libraires du Québec 2017 et a été traduit par Talonbooks sous le titre d'*Around Her* en 2018.

Marie Hélène Poitras

Marie Hélène Poitras est une écrivaine montréalaise née à Ottawa en 1975. Elle est la lauréate 2013 du prix France-Québec pour le western poétique Griffintown, également finaliste au prix Ringuet. Ce roman, paru en France en 2014 chez Phébus, a été publié en traduction anglaise chez Cormorant en 2015. Soudain le Minotaure, son premier livre, lui a valu le prix Anne-Hébert en 2003. Il a été traduit en espagnol, en anglais et en italien. Elle est également l'autrice de La mort de Mignonne et autres histoires (nouvelles), ainsi que d'une série pour adolescents intitulée Rock & Rose. Marie Hélène Poitras a commencé à écrire au moment où elle a cessé de monter à cheval.

Le Cheval d'août

BIENVENU, Sophie, Autour d'elle

BRITT, Fanny, Les maisons

BRITT, Fanny, Faire les sucres

BROUSSEAU, Simon, Synapses

BROUSSEAU, Simon, Les fins heureuses

CARBALLO, Lula, Créatures du hasard

CHUMOVA, Martina, Boîtes d'allumettes

COLLARD, Gabrielle Lisa, La mort de Roi

CÔTÉ, Frédérique, Filibuste

LA ROCQUE, Sébastien, Un parc pour les vivants

LAROCHELLE, Corinne, Le parfum de Janis

LAROCHELLE, Corinne, Pour cœurs appauvris

MAJOR, Françoise, Le nombril de la lune

NICOL, Mikella, Les filles bleues de l'été

NICOL, Mikella, Aphélie

RAYMOND BOCK, Maxime, Des lames de pierre

RAYMOND BOCK, Maxime, Les noyades secondaires

VIGNEAULT, Érik, Tout savoir sur Juliette

Sophie Bienvenu
Chercher Sam

Deuxième édition augmentée de Chercher Sam. La première édition est parue au quatrième trimestre de 2014.

L'identité du Cheval d'août a été créée par Daniel Canty (direction artistique) et Xavier Coulombe-Murray (design).

Mise en livre
Daniel Canty et Atelier Mille Mille

Photographie en couverture
Daniel Canty, 2014

Révision linguistique
Maxime Raymond Bock
Françoise Major pour la préface

Correction d'épreuves
Rosalie Lavoie

Citation-cheval par Daniel Canty

Le Cheval d'août
5666, avenue des Érables
Montréal (Québec) H2G 2L8
lechevaldaout.com

Le Cheval d'août remercie de leur soutien financier le Conseil des arts du Canada (CAC) et la Société de développement des entreprises culturelles du Québec (SODEC).

Le Cheval d'août bénéficie du Programme de crédit d'impôt pour l'édition de livres du gouvernement du Québec (gestion SODEC).

Dépôt légal, 2015
Bibliothèque et Archives nationales du Québec
Bibliothèque et Archives Canada

ISBN 978-2-924491-09-6

Distribution au Canada
Diffusion Dimedia

Distribution en Europe
Librairie du Québec à Paris

Chercher Sam a été composé en Domain Text, un caractère dessiné par Klim en 2012, et en Post Grotesk, un caractère dessiné par Josh Finklea en 2011.

Ce quatorzième tirage de Chercher Sam a été achevé d'imprimer à Gatineau sur les presses de l'imprimerie Gauvin pour le compte du Cheval d'août au mois d'août 2021.

Le cheval est un animal
qui a du chien